Dalla A di Angelica alla Z di Zina, Camilleri racconta le donne che hanno incrociato la sua strada, di uomo, prima che diventasse lo scrittore più amato d'Italia. Donne misteriose, soavi e inebrianti come la Sicilia, donne scandalose, testarde, fragili. Un'autobiografia d'amore, una raccolta di storie indimenticabili piene di sensualità, alla ricerca del mistero racchiuso nei cuori e nelle menti delle donne.

Rizzoli VINTAGE

Dello stesso autore presso Rizzoli e BUR

La mossa del cavallo

Biografia del figlio cambiato

Le parole raccontate. Piccolo dizionario dei termini teatrali

L'ombrello di Noè

Pagine scelte di Luigi Pirandello

La tripla vita di Michele Sparacino

Andrea Camilleri

Donne

Rizzoli

Proprietà letteraria riservata
© 2014 RCS Libri S.p.A., Milano
© 2016 Rizzoli Libri S.p.A. / Rizzoli

ISBN 978-88-17-08219-8

Prima edizione Rizzoli: agosto 2014
Prima edizione Rizzoli Vintage: gennaio 2016
Seconda edizione Rizzoli Vintage: agosto 2016

www.rizzoli.eu

Donne

Angelica

Due sono le Angeliche delle quali sono stato innamorato. Quella creata dalla poesia di messer Ludovico Ariosto mi iniziò ad un sentimento d'amore, esaltante e struggente.

Imparai a leggere correntemente che avevo sei anni. E da allora non smisi più. La mia prima lettura era stata un romanzo di Conrad, *La follia di Almayer*, dopo aver chiesto e ottenuto da mio padre il permesso di mettere mano tra i libri della sua biblioteca. Mio padre non era un intellettuale, però aveva un particolare gusto per le buone letture. Divorai alla rinfusa Conrad, Melville, Simenon, Chesterton, Maupassant e, tra gli italiani, Alfredo Panzini, Antonio Beltramelli, Massimo Bontempelli...

I nonni materni abitavano nell'appartamento accanto al nostro, ma la biblioteca di nonno Vincenzo non m'interessava, era piena di manuali Hoepli sulle coltivazioni dei cereali e sull'allevamento del bestiame, c'era qualche libro educativo per l'infanzia, mancavano del tutto i romanzi. Nonno aveva anche raccolto i fascicoli di una pubblicazione storicogeografico-economica che riguardava le regioni italiane. Molti li aveva fatti rilegare, ma una trentina, sfusi, giacevano nel ripiano più basso dello scaffale.

Un giorno, del tutto casualmente, m'accorsi che essi coprivano, nascondendolo, un grosso volume. Lo tirai fuori. Era di mole considerevole, due volte più alto e largo di un libro normale, sulla pesante rilegatura rosso-bruna c'era scritto a caratteri dorati: "Ludovico Ariosto, *Orlando furioso*". I fogli, lucidi, erano molto spessi. Mi colpirono, a prima vista, le meravigliose illustrazioni di Gustavo Doré.

Mi impadronii del libro, tanto nessuno si sarebbe accorto della sua sparizione, e me lo portai nella mia stanza.

Da quel momento, e per qualche anno, convissi con Angelica della quale m'innamorai perdutamente per le fattezze che le aveva dato Doré. I cui disegni mi avevano già provocato l'emozione indescrivibile di vedere per la prima volta com'era fatto il corpo nudo di una donna. Era forse per questi disegni che il libro era stato seminascosto?

Doré non aveva mai disegnato Angelica senza veli, ma io le prestai il corpo di una fanciulla ignuda, i polsi legati alti a un ramo, che illustrava non ricordo più quale altro episodio. Percorrevo delicatamente con l'indice i contorni di quel corpo, li carezzavo ad occhi socchiusi, il cuore impazzito, ripetendo dentro di me come una litania il nome d'Angelica.

Ricordo anche che dentro il mio cervello di decenne, educato da quattro anni di ottime letture tutt'altro che infantili, due precisi episodi del poema mi si stamparono in maniera indelebile. Uno era la storia di Fiammetta che riesce a tradire i suoi due amanti pur giacendo nel letto in mezzo a loro. L'altro era il fatto che Angelica, pur essendo corteggiata da eroici guerrieri e da ricchi nobili, s'innamora di un povero pastore, Medoro, e se ne va a vivere con lui.

Capivo come Orlando, alla notizia, fosse andato fuori di testa, ma ancor di più, istintivamente, comprendevo la scelta di Angelica e mi schieravo dalla sua parte.

Al primo ginnasio mi misero in una classe mista. Tutti i miei compagni s'innamorarono subito di Liliana. Io no, era bella, innegabilmente, ma troppo dissimile da Angelica. Prima di entrare in classe, lasciavamo i cappotti negli appendiabiti disposti lungo il corridoio. Alla fine delle lezioni, i miei compagni si precipitavano a prendere il cappotto di Liliana e a tenerglielo aperto mentre lei l'indossava. Era una gara che non escludeva spintoni, cazzotti e insulti.

Quasi sempre vincevano i due più robusti, Giogiò e Cecè, figli di ricchi commercianti. Sempre ben vestiti, sempre con tanti soldi nelle tasche. A me, figlio di un impiegatuccio, nemmeno mi vedevano.

Ma un giorno Liliana guardò Cecè che le teneva il cappotto pronto per essere indossato e gli disse, gelida:

«Rimettilo a posto».

Cecè, allibito, ubbidì. Allora Liliana, inaspettatamente, mi chiamò. Io, che dopo avere assistito a quella scena mi stavo avviando all'uscita, mi voltai, sorpreso. Di rado mi aveva rivolto la parola.

«Andrea, me lo tieni il cappotto per favore?»

Da quel giorno fui sempre io l'officiante del rito. E, in tale qualità, mi vennero concessi vari e invidiatissimi privilegi, primo tra tutti quello di riaccompagnarla a casa dalla scuola. E altri che nessuno seppe mai, la sua mano a cercare la mia, un rapido bacio sulla mia guancia, un "ti voglio bene" appena percettibile...

E così scoprii che in ogni donna alberga, più o meno segretamente, un poco d'Angelica.

L'altra Angelica l'incontrai a Roma negli ultimi mesi del 1949 o nei primissimi del 1950, non ricordo bene.

Ero allievo-regista all'Accademia Nazionale d'Arte Drammatica, allora diretta da Silvio D'Amico che l'aveva fondata. Godevo di una borsa di studio che mi consentiva di vivere discretamente per venticinque giorni al mese, i restanti cinque o sei sprofondavo nella povertà. Dovevo, per pranzo, contentarmi di un cappuccino e di una brioche. Quasi sempre mi andavo a sedere in un caffè di piazza Venezia che faceva angolo con via del Corso.

Un giorno notai, al tavolo accanto al mio, una vecchietta minuta, vestita con proprietà, che aveva anche lei ordinato un cappuccino e una brioche. Per un attimo, sollevò il viso e mi guardò. Ebbi un tuffo al cuore.

I suoi occhi, grandi e vivissimi, erano identici a quelli di mia nonna Elvira. Io nonna l'adoravo, avevo più nostalgia della nonna che dei miei genitori. Forse tenni troppo a lungo lo sguardo fisso su di lei perché la vecchia signora tornò a guardarmi, stavolta sorridendomi. Quel sorriso e quello sguardo avevano un fascino indicibile, le annullavano in un attimo gli anni che le pesavano sulle spalle, la facevano tornare ragazza. Non riuscii a controllarmi. Le mie gambe si mossero senza che io gliel'avessi ordinato. Presi la tazza e la brioche, mi alzai, mi avvicinai al suo tavolo.

«Mi permette?»

Mi fece cenno d'accomodarmi. Poi mi domandò, un po' sorpresa:

«Mi ha riconosciuta?».

Perché avrei dovuto riconoscerla?

«No, ma lei, mi perdoni, mi ricorda così tanto mia nonna che...»

Sorrise. Ah, quel sorriso!

«Come si chiama sua nonna?»

«Elvira.»

«Io mi chiamo Angelica. Angelica Balabanoff.»

Sobbalzai, per poco non caddi dalla sedia. Sapevo chi era Angelica Balabanoff, la grande rivoluzionaria russa, l'amica di Lenin, colei che aveva "creato" Mussolini...

La domanda mi scappò dalle labbra prima che potessi trattenerla.

«Com'era Lenin?»

Dovevano averle rivolto quella domanda migliaia di volte. Rispose subito e sbrigativamente:

«Un uomo di un'onestà ferrea. Un angelo feroce».

Ma non aveva intenzione di parlare di politica con me perché cambiò subito discorso domandandomi cosa facessi. Appena seppe che mi occupavo di teatro, i suoi occhi s'illuminarono. Mi parlò dandomi del tu.

«Che conosci di Čechov?»

«Credo tutto.»

«Da giovane» sospirò «sarei stata una perfetta Nina nel *Gabbiano*.»

E cominciò a parlarmi di Cechov con un fervore e una competenza che mi stupirono. Me ne parlava però non per insegnarmi qualcosa, ma da pari a pari, quasi fosse una mia compagna d'Accademia. Ogni tanto, senza rendersene conto, mi carezzava il dorso della mano.

E così scoprii che la seconda passione della Balabanoff, dopo la politica, era il teatro. Quando venne l'ora d'andarmene e la salutai, lei mi disse:

«A domani. E non dirmi signora, chiamami Angelica».

Non so perché, mi recai il giorno dopo all'appuntamento con il batticuore, come per un incontro amoroso. Non avevo raccontato a nessuno d'averla conosciuta, del resto i miei compagni non avrebbero nemmeno capito di chi stavo parlando.

Non mi disse mai dove abitava, come trascorreva i suoi giorni. Il mese terminò, ci eravamo visti cinque volte, il giorno appresso avrei riscosso la borsa di studio. La parentesi dei cappuccini si era, al momento, chiusa.

«Angelica, posso invitarla a pranzo domani?»

Mi guardò sorpresa. Poi consentì.

«Va bene.»

Si fece dare l'indirizzo del ristorante, mi disse che sarebbe venuta all'una, aggiunse che aveva un appuntamento e che non poteva trattenersi ancora con me. Mi porse la mano. Io mi chinai e gliela sfiorai con le labbra. Allora lei mi abbracciò e mi baciò sulle guance alzandosi in punta di piedi.

Non solo non si presentò al ristorante, ma non venne più nemmeno al caffè. Sparì dalla mia vita. Ne soffrii a lungo.

Antigone

Nella tragedia *I sette a Tebe*, Eschilo aveva rappresentato la guerra fratricida contro Tebe mossa da Polinice, della quale il re della città, Creonte, era risultato alla fine il vincitore. Sofocle scrive una sorta di seguito a quella storia con un'altra tragedia, *Antigone*.

Creonte ordina che il cadavere di Polinice, considerato un traditore, rimanga insepolto, preda degli avvoltoi. Ma una notte la giovane Antigone, sorella di Polinice, viene sorpresa mentre tenta di dare sepoltura al fratello. È una trasgressione che comporta la pena di morte. Davanti a Creonte la giovane non si discolpa, fieramente sostiene le sue ragioni, ispirate alle leggi divine che, in questo caso, confliggono con le leggi degli uomini. E non cederà né alle minacce né alle lusinghe, pronta ad affrontare il suo tragico destino.

Creonte infatti la condannerà alla morte, sepolta viva dentro una grotta. Ma Antigone si suicida impiccandosi. I morti però chiamano morti. Emone, figlio di Creonte e fidanzato di Antigone, si uccide anche lui per aver perduto il suo amore. Lo stesso farà Euridice, moglie di Creonte, per la tragica morte del figlio. Il re non potrà fare altro che assistere, impotente, alla fine della sua famiglia.

Il personaggio di Antigone, da allora, ha ispirato numerosi drammaturghi.

Ne citerò solo due. Non poteva mancare il nostro Vittorio Alfieri che nella tragedia intitolata appunto all'eroina, riesce nell'esercizio acrobatico di concentrare ben cinque battute in un solo endecasillabo. Creonte ha convocato Antigone per sapere quale sia stata la sua scelta tra sposarsi con Emone o andare a morire.

Creonte: *Scegliesti?*

Antigone: *Ho scelto.*

Creonte: *Emon?*

Antigone: *Morte.*

Creonte: *L'avrai!*

Negli anni di poco successivi alla Seconda guerra mondiale, il commediografo francese Jean Anouilh scrisse un lungo atto unico dove però Antigone era disegnata come una predestinata al rifiuto («io sono venuta sulla terra per dire di no e morire») e il re Creonte come un pragmatista che agisce costretto dalle circostanze.

Molti vi lessero una non tanto larvata difesa del governo di Vichy, quello del maresciallo Pétain, che aveva collaborato con i nazisti invasori.

Io un'Antigone l'ho conosciuta.

Non quella della letteratura, naturalmente, ma una ragazza in carne e ossa la cui vicenda umana aveva però la stessa dimensione tragica, lo stesso alone di morte, la stessa cupa e rocciosa volontà dell'eroina classica.

L'incontro avvenne la volta che un noto personaggio televisivo m'invitò al suo show per presentare uno dei primissimi romanzi della serie del commissario Montalbano. Tra gli ospiti c'era anche una ragazza minuta, bruna, dai grandi occhi, poco più che ventenne, senza trucco, pallida, indossava un maglione scuro e un paio di jeans. Stava seduta un pochino rannicchiata, evidentemente intimorita dal pubblico. Il conduttore la presentò, ma il suo nome mi era sconosciuto, e aggiunse che la ragazza aveva una sua storia personale e particolare da raccontare. A circa metà dello show, il conduttore le diede la parola.

Iniziò a fatica, esitante, tradendo un leggero accento siciliano, e anche quando si rinfrancò e prese a narrare con maggiore scioltezza, mi resi conto che il suo tono di voce era piatto, uniforme, non mostrava nessuna emozione, direi quasi nessuna partecipazione. Diceva semplicemente i fatti, e basta. E non muoveva un muscolo, non faceva un gesto. Le mani abbandonate sul grembo, la testa un poco piegata sopra la spalla sinistra, i piedi affiancati, lo sguardo fisso in avanti.

Eppure stava raccontando fatti che avevano devastato la sua vita e la sua anima.

Diceva come un giorno suo padre e suo fratello, diciottenne, avessero tardato a tornare per la cena dal loro campo poco fuori paese, dove avevano anche una stalla. E di come lei, sollecitata dalla madre, si fosse recata nel campo. E di come avesse trovato dentro la stalla i corpi del padre e del fratello, sconciati dalla lupara.

Era tornata di corsa in paese, si era precipitata nella caserma dei carabinieri. Le indagini si erano risolte in breve, i carabinieri avevano arrestato due mafiosi, che tra l'altro abitavano nella stessa strada delle loro vittime. Il movente era che le vittime non si erano volute piegare alle richieste dei malavitosi prepotenti.

Senonché, per un qualche cavillo legale, gli arrestati, pur restando formalmente accusati del duplice omicidio, erano stati rimessi in libertà in attesa della celebrazione del processo. Ma era trascorso un anno e del processo nemmeno l'ombra.

E la ragazza ogni giorno incontrava i due assassini per strada e quelli le rivolgevano un ironico sorriso di sfida.

E qui la ragazza fece una leggerissima pausa.

Alzò la testa, raddrizzò il busto, e disse con la stessa quasi monotona voce con la quale aveva fino ad allora parlato:

«Questo non è giusto, questa non è giustizia. E io allora, un giorno o l'altro, li ammazzerò. Se non m'ammazzano prima loro».

In quel momento io, e tutti gli spettatori in sala, con lo stesso brivido nella schiena, avemmo la certezza assoluta che l'avrebbe fatto. E che a lei non importava niente di morire.

E contemporaneamente capii che quella ragazza era della stessa razza di Antigone e che Antigone si era rivolta a Creonte con lo stesso tono di voce della giovane siciliana, senza enfasi, senza gesti superflui, e soprattutto con quella pacata ma sovrumana determinazione di cui solo certe donne sono a volte capaci.

Beatrice

Restiamo ai fatti nudi e crudi. Nel 1274, a Firenze, un bambino di nove anni, di nome Dante, figlio di un Alighiero di Bellincione d'Alighiero, incontra una bambina di otto anni, che si chiama Bice e che è figlia di tal Folco Portinari. Forse i due bambini si scambiano un sorriso o si guardano in cagnesco, comunque l'incontro finisce lì. Ma quel fugace momento si radicherà nella memoria del bambino, ingigantirà, si dilaterà nel tempo.

Nel 1277 Dante, che ha appena dodici anni, viene fatto fidanzare dal padre con Gemma di Manetto Donati.

Nel 1283 Dante, diciottenne, incontra nuovamente Bice. La saluta e lei risponde gentilmente, di certo domandandosi chi sia quel giovane. L'incontro, così come il primo, non ha seguito. Ma quel saluto, per lui, diventerà un evento non solo personale, ma tale da creare un nuovo modo di far poesia e di considerare la donna.

Tanto gentile e tanto onesta pare
la donna mia quand'ella altrui saluta,

ch'ogne lingua deven tremando muta,
e li occhi no l'ardiscon di guardare...

Non è un po' troppo per un semplice saluto? E se la fanciulla avesse anche parlato, scambiato qualche frase, cosa sarebbe accaduto? Si sarebbe scatenato il panico in città? Tutti tremanti, muti e ad occhi chiusi?

Quattro anni dopo Bice si sposa con Simone di Geri de' Bardi. E muore l'8 giugno del 1290. Dante invece si sposerà con Gemma probabilmente nel 1295. Dal matrimonio nasceranno tre figli maschi e una femmina.

È assodato che Dante e Beatrice (così Bice verrà ribattezzata dal poeta) non ebbero mai occasione di trovarsi a tu per tu e quindi di scambiare neppure una parola. Insomma, rimasero perfettamente sconosciuti l'uno all'altra. Eppure, in eterno, Beatrice sarà per Dante "la donna mia", amata tutta la vita e infine sublimata come sua guida al Paradiso.

Devo confessare la mia assoluta e connaturata incapacità di comprendere questa storia che vien detta una sublime vicenda d'amore. Ma l'amore non è sempre una partita a due? La povera Bice è del tutto inconsapevole del finimondo che Dante provoca in suo nome, è lontana le mille miglia dal considerarsi un angelo o qualcosa di simile, è una buona moglie e una brava madre di famiglia. Ignora, per dirla fuori dai denti, d'essere l'oggetto non dell'amore, ma del vizio solitario, tutto mentale, di Dante. Il quale, quando si fissava sopra una cosa, non c'era verso. Francesco Petrarca, in una lettera all'amico Giovanni Boccaccio, scrive d'aver visto una sola volta Dante, quando era fanciullo, venuto in casa a trovare il padre. Col quale Dante andò poi in esilio. E così, pur tessendo smisurati elogi del sommo, Petrarca qua e là insinua qualche frasetta affermando che Dante era "tenace nel suo proposito, e di null'altro pensoso che di procacciarsi gran nome" e che niente al mondo sarebbe riuscito a deviarlo "dall'intrapreso cammino".

Dante dunque, ostinatamente, finisce col costruire una donna che nella realtà non è mai esistita, sovrapponendo questa sua impalcatura fantastica alla figura vera di Bice fino ad annullarla, a farla scomparire.

Bisognerà attendere l'arrivo della poesia di Petrarca perché la donna venga riconsiderata nella sua inscindibile unità di anima e corpo. La "forma vera", come la chiama il poeta. E, ironia della sorte, mentre di Beatrice sappiamo tutto, della Laura petrarchesca ignoriamo tutto. Un cosa però è comunque certa: che quella donna realmente esistette, che il poeta la vide per la prima volta il 6 aprile del 1327 nella chiesa di S. Chiara ad Avignone, e che tra i due scoccò una travolgente passione.

Ma non c'è dubbio alcuno che bisognerà aspettare ancora sino al *Decamerone* di Boccaccio per trovarvi finalmente un intero catalogo di donne così com'erano e sono, senza esaltazione o denigrazione, coi loro difetti e le loro virtù.

Ho avuto anch'io una Beatrice, che però veniva chiamata Bice. Ma la mia storia con lei attenne alla narrativa di Boccaccio, non alla poesia di Dante.

La guerra da noi in Sicilia finì col finire dell'estate del 1943.

Passato qualche mese d'assestamento, si scatenò in tutti una gran voglia di vivere.

Il nostro gruppo, costituito negli anni del liceo e poi disperso nel periodo dello sbarco alleato, si riformò sia pure con alcune assenze che vennero ben presto rimpiazzate. Eravamo una dozzina di poco meno che ventenni, ragazzi e ragazze che non lasciavano passare un fine settimana senza organizzare dei balli che duravano dalle otto di sera fino alle tre e passa del mattino. Le riunioni avvenivano a turno nelle seconde case, in campagna o in riva al mare, in assenza dei genitori. Sempre a turno qualcuno di noi s'incaricava delle vettovaglie: bastavano tre grandi forme di profumato "cuddriruni", da tagliare a fette e appositamente ordinato al fornaio, e qualche bottiglia di buon vino. Eravamo, tutto sommato, parchi, e non ci ubriacavamo. Tra di noi non ci furono mai storie d'amore, solo qualche caso di simpatia più accentuata.

Questa voglia di stare insieme, ballando, bevendo, confidandoci le nostre speranze, si consolidò ancor di più con l'arrivo dell'estate del 1944. Ora ci vedevamo ogni giorno, al tramonto, e facevamo lunghe passeggiate. Era la prima estate, per noi, di pace. Ed era anche, questo oscuramente lo presentivamo, un addio alla giovinezza.

Poi un giorno – era, lo ricordo bene, il primo luglio – Bice e Filippo ci sorpresero tutti annunziandoci il loro fidanzamento. I due ci confessarono che da tempo si frequentavano di nascosto. Non ci eravamo accorti di nulla. Per risarcire la compagnia di quello che giudicammo un tradimento, condannammo Filippo, che era il più grande di noi, avendo già

ventun anni, e il più ricco di famiglia, a pagare le vettovaglie
per tutto il mese.

Poi cominciai a notare che qualcosa da parte di Bice era
cambiato nei miei confronti. Fino a quel momento io ero
stato per Bice, e lei per me, un amico vero. Era una gran
bella diciottenne, solare, più alta di me, lunghi capelli biondo
rossicci, gambe slanciate e ben fatte. Vederla in costume da
bagno era una goduria. Ballavamo spesso insieme, eravamo
affiatati soprattutto nel boogie-woogie. Dal momento che si
fidanzò con Filippo mi sembrò naturale che facesse coppia
solo con lui. Ma un sabato di fine luglio mi si avvicinò dicendomi che aveva voglia di ballare con me.

«Mettiamo il boogie?»

«No, un lento. Metti *Stardust*.»

Mentre ballavamo, con la mano che teneva dietro la mia
schiena mi strinse di più a sé, guardandomi insistentemente.
A un tratto mi sussurrò:

«Lo dico solo a te. Ai primi d'ottobre mi sposo».

Finito il disco, se ne tornò da Filippo. Al quale non è che
piacesse tanto ballare, preferiva sequestrare una vittima, un
ragazzo o una ragazza, portarsela in disparte e parlare di filosofia. Sicché, quando poco dopo Bice tornò alla carica con
me, non dimostrò nessun fastidio. Stavolta però il corpo di
Bice aderì, apertamente, al mio. Tanto che ne rimasi turbato.

«Bice, che ti piglia?» le chiesi, sorpreso e a disagio.

«Non fare domande, stupido.»

Se a lei piaceva così...

All'ultimo ballo mi mormorò all'orecchio:

«Il prossimo sabato tieniti la giornata libera».

Il venerdì che venne, durante la passeggiata serale, Bice ci disse che, essendo i suoi genitori partiti, la sua casa al mare era disponibile. Perciò l'indomani sera il ballo si sarebbe tenuto da lei. E aggiunse che lei e Filippo ci sarebbero andati già dalla mattina. Poi, rivolta a me, domandò:

«Vieni anche tu?».

Fui tentato di rispondere di no. Che ci andavo a fare, il terzo incomodo? Ma il suo sguardo mi dissuase. Acconsentii. Partimmo l'indomani mattina in bicicletta, Bice, Filippo, io e Marina, la sorella diciassettenne di Filippo che era il cane da guardia dei due fidanzati. Arrivati nella villa, indossammo il costume e scendemmo in spiaggia. Era difficile reggere il sole, stavamo sopra una graticola. Filippo aprì l'ombrellone trovato in casa e ci si rifugiò con Marina. Io e Bice entrammo in acqua. Nuotammo a lungo, poi ci fermammo. Bice immediatamente allacciò le sue gambe alle mie sotto il pelo dell'acqua. Ma non potevamo baciarci, dalla spiaggia ci avrebbero visti. Dopo un po' divenne nervosa, mi lasciò, prese a nuotare verso la riva.

Appena arrivammo all'ombrellone, disse perentoria a Filippo:

«Ho una gran voglia di ricci. M'accompagni?».

Significava farsi un chilometro a piedi sulla sabbia sotto quel sole, fino alla Scala dei Turchi. Filippo rifiutò e guardò me. Mi resi conto che quel rifiuto di Filippo era stato previsto da Bice. Presi il coltello dalla sacca e ci incamminammo. Appena fuori vista, ci mettemmo a correre, il desiderio bruciava più del sole. La spiaggia era deserta. Ansanti, cademmo all'ombra di uno sperone di marna bianca.

Per due ore facemmo furiosamente e ininterrottamente l'amore, senza scambiarci una parola, scordandoci dei ricci, del tempo, del mondo.

Neanche mentre tornavamo aprimmo bocca. Non ci sfiorammo nemmeno con le mani. Quella sera ballò solo con Filippo e con me riprese ad essere l'amica che era sempre stata. E come allora non le domandai perché, non me lo domanderò neppure oggi, a settant'anni di distanza.

Bianca

Il nome e la storia di Bianca Lancia non possono non comparire in questo repertorio per una sua brevissima, struggente biografia che credo di aver letta troppi anni fa. Dico credo perché quella biografia, per quanto l'abbia in seguito cercata, non l'ho mai più ritrovata e mi sono anche dimenticato chi ne era stato l'autore. Non solo, ma la storia di Bianca, così come viene raccontata persino in Wikipedia, non corrisponde per niente al mio ricordo. Sicché sono arrivato alla conclusione che quella paginetta biografica sia stata una mia fantasia o addirittura un sogno. La memoria fa di questi scherzi.

Comincio dalla vulgata ufficiale.

Bianca è figlia di Bonifacio I, conte di Agliano e marchese di Buscavisse. Il fratello di Bonifacio, Manfredi II, è un fedelissimo dell'imperatore Federico II di Svevia e anche suo amico, tanto che l'imperatore lo nominerà nel 1240 Vicario generale dell'Impero in Italia e più tardi capitano imperiale di Asti e di Pavia. Quando nel 1225 Federico si sposa per la seconda volta con Jolanda di Brienne (la prima moglie era stata Costanza d'Aragona), i Lancia sono invitati ai festeggia-menti. Ed è in questa occasione che Bianca non solo vede per la prima volta Federico, ma se ne innamora perdutamente e ne diviene, *ipso facto* o quasi, l'amante.

La loro relazione durerà a lungo. Bianca gli darà tre fi-gli: Costanza (1230), Manfredi (1232) e Violante (1233). Di amanti, con relativa prole, Federico ne ebbe tante, ma è fuor di dubbio che Bianca fu la prediletta, anche perché madre dell'amatissimo Manfredi. Alla morte nel 1241 della terza moglie di Federico, Isabella d'Inghilterra, sposata nel 1235, Bianca ricevette il feudo annesso al fortilizio di Monte Sant'Angelo. Qui, dicono le storie, visse a lungo reclusa a causa della morbosa gelosia di Federico. Il quale, quando cadeva in preda di questi furori possessivi, ricorreva alla segregazione totale dell'amante.

Sembra, secondo lo storico Pantaleo e padre Bonaventu-ra da Lama, che avesse fatto così anche quando Bianca era incinta di Manfredi, rinchiudendola nel castello di Gioia del Colle. Dopo il parto Bianca si sarebbe uccisa tagliandosi i seni e inviandoli, assieme al neonato, all'imperatore. Ma allora come avrebbe fatto a concepire Violante da morta?

Altri cronisti raccontano che Federico la sposò in segreto verso il 1246 *in articulo mortis*, essendo Bianca gravemente ammalata. E infatti scrivono che morì pochi giorni dopo il matrimonio. Ma Salimbene de Adam, nella sua cronaca, dà una versione dei fatti molto diversa. Narra che Bianca fosse in ottima salute, che si finse gravemente ammalata al solo scopo di farsi sposare e che addirittura sopravvisse a

Federico morto nel 1250. Insomma, avrebbe ordito lo stesso inganno di Filumena Marturano nella splendida commedia di Eduardo. Però il fatto che Salimbene affermi che Bianca sia sopravvissuta a Federico ci porta dritto dritto alla mia storia sognata o letta. Che è questa.

Nel 1212 il diciottenne Federico, re di Sicilia ma non ancora imperatore, si reca a Genova per avere l'appoggio marinaro di quella città. Vi resta due mesi e mezzo e ogni tanto va a trovare Manfredi Lancia in un suo castello del Piemonte. È qui che Bianca, poco più che una bambina, lo conosce e se ne innamora. Quando Federico riparte, la bambina giura a se stessa che quello sarà l'uomo della sua vita. Giovinetta ambita come sposa, rifiuta tutte le proposte di matrimonio. Realizzerà il suo sogno tredici anni dopo. Federico ricambierà in pieno il suo amore, le poesie che scrive e legge agli altri poeti della Magna Curia, da Giacomo da Lentini a Pier delle Vigne, sono dedicate a Bianca. Che gli resterà sempre a fianco, anche se patirà a lungo la solitudine nei freddi castelli di Monte Sant'Angelo o di Gioia del Colle. Alla morte dell'imperatore, Bianca va a segregarsi in un convento, dove muore anni dopo, portando con sé solo uno scrignetto dentro il quale aveva messo sette cose, ma non gioielli, che le avrebbero per sempre ricordato l'amore di Federico.

In quella paginetta, che credo d'aver letto, le sette cose non erano specificate. Ed è proprio questo che m'ha intrigato. Cosa mise dentro lo scrignetto? Di certo qualcuna delle poesie che Federico compose per lei. E poi?

Forse, da uomo, non sarò mai in grado d'indovinare. Bisognerebbe esser donna, e avere vissuto per anni, amandolo ed essendone riamata, accanto a un uomo che alcuni storici definirono "lo stupore del mondo" per poter avere, forse, una qualche risposta.

Carla

Era il giorno del mio ventottesimo compleanno e una gentile coppia coetanea aveva voluto invitarmi a cena per festeggiare insieme ad altri amici.

Uscii da quella casa che erano da poco passate le due, un tantino alticcio, e mi diressi verso la fermata del tram notturno. Malgrado fosse una splendida notte di un tiepido settembre romano, le strade erano deserte.

Alla fermata c'era una ragazza seduta per terra, con la schiena appoggiata al palo che reggeva la tabella degli orari, le ginocchia all'altezza del mento tenute dalle braccia incrociate. Stava con la testa inclinata in basso e quindi non era possibile scorgerne la faccia, oltretutto coperta da lunghi capelli biondi. Ebbi l'impressione che dormisse. Non si mosse neanche quando il tram annunziò il suo arrivo sferragliando. Allora mi chinai e le toccai una spalla.

«Si svegli, sta arrivando il tram.»

Alzò lentamente la testa. Enormi occhi azzurri dai quali colavano grosse lacrime silenziose. Non parlò, non accennò minimamente ad alzarsi. Fui io a piegarmi su un ginocchio.

«Sta male?»

«No.»

«Allora perché piange?»

«Piango?» chiese sinceramente stupita.

La ragazza si passò le mani sul volto, se le guardò, se le strofinò sui jeans.

«È vero» disse, «non me n'ero accorta.»

Intanto il tram era arrivato, si era fermato ed era ripartito senza di me.

Lei riprese la posizione di prima. Visto che avevo perduto la corsa, non mi restava che andare al più vicino posteggio dei taxi. Non me la sentivo d'aspettare un'altra ora. Mi alzai, ma mi fermò parlandomi immobile.

«Non te ne andare.»

Me lo chiese come si chiede una sigaretta. Senza particolari inflessioni. Mi sedetti sul bordo del marciapiedi di fronte a lei. Rimase un poco in silenzio, poi riprese a parlare chiusa in se stessa come un riccio.

«Io mi chiamo Carla, e tu?»

Le dissi il mio nome. Alzò la testa di scatto e stavolta mi fissò.

«Il mio primo ragazzo si chiamava come te. Gli ho voluto molto bene. È morto.»

Tornò a chinare la testa. D'un tratto, avvertii l'assurdità della situazione.

«Senti, Carla» dissi, «sono un pochino stanco e vorrei andare a dormire. Se vuoi, ti posso dare un passaggio.»

«Non ricordo più dove abito» fece, «per questo stavo seduta qui. Aspettavo che mi tornasse in mente.»

«Ma non hai un portafoglio, dei documenti, qualcosa che...?»

«Non ho nulla. Ho perso tutto, o forse me li hanno rubati, non so.»

Faceva sul serio o scherzava? Dal tono di voce mi convinsi che diceva la verità.

«E se non riesci a ricordarti dove abiti, che fai? Te ne vai in albergo?»

«Non ho un centesimo.»

«Allora dove pensi di passare la notte?»

«Boh.»

Presi una rapida decisione. Le proposi di venire a casa mia, le dissi che abitavo con un amico momentaneamente assente che però sarebbe rientrato nella tarda mattinata, quindi avrebbe potuto dormire nella sua camera.

«Va bene. Ma non vorrei che tu ti facessi l'idea che... insomma, io non...»

«Ho capito» dissi, «non ti preoccupare.»

Si alzò, c'incamminammo verso il posteggio.

Era più alta di me, aveva un corpo da modella. Doveva avere la mia stessa età. Ogni tanto rallentava, si fermava, corrugava la fronte, si guardava attorno, smarrita, perplessa. Poi ripigliava a camminare.

Sbucammo in un viale abbastanza trafficato, dall'altra parte c'era il posteggio. Stava arrivando, dalla nostra destra, una macchina velocissima. Ci fermammo sul marciapiedi per lasciarla passare. Subito Carla, stupendomi, cominciò a contare ad alta voce:

«Uno... due... e tre!».

Al tre, balzò in strada e si slanciò verso l'auto. Chiusi gli occhi, atterrito. Sentii non il terribile tonfo e la frenata che m'aspettavo, ma uno stridio disperato di gomme. Aprii gli occhi in tempo per vedere che il conducente era riuscito a scansarla sfiorandola e proseguiva la sua corsa.

Carla se ne restava immobile in mezzo alla strada, altre auto stavano arrivando. La raggiunsi, ma per farla spostare verso lo spartitraffico dovetti cingerla per le spalle e quasi trascinarla.

«Ma sei pazza?»

«No.»

«Allora perché l'hai fatto?»

«Me n'era venuta voglia.»

Io tremavo per lo spavento, lei era assolutamente serena. In taxi, a un certo momento, mi guardò come se non m'avesse mai visto.

«Come hai detto che ti chiami?»

«Andrea.»

«Sei il primo che conosco con questo nome. Io mi chiamo Stefania.»

Ma non mi aveva raccontato che... Lasciai perdere.

La prima cosa che mi disse, appena arrivammo a casa, fu:

«Voglio l'acqua».

«Vuoi bere?»

«No, sopra di me.»

«Vuoi farti una doccia?»

«Ecco, quello, non mi veniva la parola.»

Le mostrai prima la camera destinata a lei e poi il bagno. Me ne tornai nella mia stanza. Dopo un quarto d'ora si presentò, completamente nuda e gocciolante. Faceva mancare il fiato.

«Non so fermare l'acqua.»

Andai a chiudere i rubinetti. Non si asciugò, se ne andò a letto senza nemmeno salutarmi. Aveva lasciato i vestiti in bagno. Perquisii con cura i suoi jeans d'ottima marca. Tutte le tasche erano vuote, possedeva soltanto un fazzoletto.

Dormii profondamente. Mi svegliai che erano le dieci del mattino. Mi ricordai di Carla. O Stefania? Mi alzai, andai nella sua camera. Solo il letto disfatto. Mi recai in bagno, i suoi vestiti non c'erano. Se n'era andata via.

Notai, per terra, i miei pantaloni che la sera avanti avevo lasciato in bagno appesi dietro la porta. Quando li presi, vidi, sotto di essi, il mio portafoglio. Dentro, lo sapevo benissimo, ci stavano le mie ultime residue miserabili quattromila lire. Ora ce n'erano soltanto tremila.

Carmela

Ossia elegia per le mie lacrime da diciassettenne.

Il film che quella sera del 1942 si proiettava nell'unico cinema del mio paese s'intitolava *Carmela* e protagonista ne era Doris Duranti.

Bastava quel nome, allora, a stipare le sale. Infatti la Duranti, uno o due anni prima, era stata l'interprete della riduzione cinematografica della famosa tragedia *La cena delle beffe* di Sem Benelli e, in una veloce sequenza, si era audacemente mostrata a seno nudo. Era la prima volta che questo accadeva in Italia e in tempi di austerità fascista. Si sperava perciò, ma invano, che ripetesse l'exploit.

Anche quella sera le speranze dei miei compaesani andarono deluse e molti, vista la piega che pigliava la vicenda, abbandonarono la sala.

Io rimasi, incantato non tanto dalla storia, ma dal fascino delle immagini e dalla buona recitazione della Duranti. Regista ne era Flavio Calzavara e il film era tratto, cosa che allora mi stupì molto, da un racconto di Edmondo De

Amicis. Per me De Amicis era l'autore del melenso libro
Cuore e basta.

Qui invece si trattava della storia di una bellissima e riservata ragazza che vive in una piccola isola che fa parte di
un'isola più grande, la Sicilia, una giovane vita condannata
comunque sia all'isolamento, la quale s'innamora dell'ufficiale che comanda la guarnigione e con lui si fidanza. Ma
l'ufficiale l'abbandona appena ricevuto l'ordine di trasferi-
mento. E Carmela, tornata alla sua solitudine, lentamente si
lascia andare alla follia. Come una vela senza timoniere che
diriga al largo mossa appena da un alito di vento. Una follia
dolce e malinconica. Senonché il nuovo giovane ufficiale
venuto a sostituire il collega trasferito, si prende a cuore la
sorte di Carmela, si innamora anche lui della bellezza e della
dolcezza della ragazza, e, inscenando una sorta di casalingo
psicodramma, riesce a ricondurla alla ragione. Il clou dello
spettacolo messo in piedi dall'ufficiale era una canzone, da
lui stesso cantata, della quale ricordo ancora perfettamente
la prima strofa:

Carmela, ai tuoi ginocchi
placidamente assiso,
guardandoti negli occhi,
baciandoti nel viso,
trascorrerò i miei dì.

Alla fine, come nelle belle favole, Carmela e l'ufficiale con-
volano a nozze. Il più ovvio degli happy end.

Allora perché piansi?

Premetto che solo in tarda età mi sono iscritto al vasto partito di coloro che sbottano a piangere al cinema. Sono in tantissimi, conosco perfino attori che piangono come fontane vedendo le scene tragiche da loro stessi interpretate: Omar Sharif ne è un bell'esempio.

Non mi ricordo, prima dei settanta, d'aver pianto se non quella volta. Non fu la storia a commuovermi, ma il volto intensissimo e tenero, bellissimo e sconvolto della Duranti in alcuni momenti della sua follia, dovuta certo all'amore perduto, ma soprattutto alla coscienza di una rinnovata e più tragica solitudine.

Alla vista di quel volto anche in me si scatenò uno psicodramma e in un attimo compresi che le mie inquietudini, le mie malinconie, i miei squilibri, erano dovuti, più che all'età, al presentimento, o meglio, al timore di fare la stessa fine di Carmela, di non riuscire cioè a spezzare l'isolamento cui mi sentivo condannato. E presi, quella sera stessa, la decisione d'abbandonare, prima o poi, la mia terra.

Carmen

Il libretto della celeberrima opera di Bizet è dovuto a due noti commediografi che lavoravano sempre in coppia, Meilhac e Halévy. Ma non è un libretto originale, è tratto da una commedia, *Carmen* appunto, che lo scrittore e autore drammatico Prosper Mérimée aveva composto trenta anni prima, circa a metà dell'Ottocento.

Se non ricordo male, il prodotto delle fatiche di Bizet doveva essere rappresentato nel tempio della lirica francese, l'Opéra, ma nel teatro erano ancora in corso lavori di restauro in seguito all'incendio che l'aveva devastato, sicché la prima rappresentazione venne spostata in un tempio diciamo così minore, l'Opéra-Comique.

Ma quando il suo direttore, l'austero monsieur de Leuven, diede nel 1873 un'occhiata distratta al libretto di Meilhac e Halévy, si sentì letteralmente allibire. Egli espresse forti perplessità sull'opportunità dello spettacolo, sostenendo che una figura femminile così libera e ribelle, anzi, adoperò propriamente l'aggettivo scandalosa, come Carmen avrebbe di certo sconvolto le buone famiglie borghesi che erano solite frequentare il suo teatro.

E poi Carmen finiva accoltellata (lei, che era facile di coltello) da un amante geloso! A memoria di direttori di quel teatro, non si era mai vista su quel glorioso palcoscenico la protagonista di un'opera morire in modo sì cruento. I signori autori del libretto, e di conseguenza anche il compositore, non potevano fare uno sforzino e trovare un finale meno sanguinoso?

Dopo un lungo tira e molla, de Leuven non trovò di meglio che rassegnare dignitosamente le dimissioni e il suo successore, du Locle, diede il via libera pur nutrendo anche lui molti dubbi.

L'opera andò in scena nel 1875 e l'esito fu, e non poteva certo essere diversamente, assai contrastato.

Insomma, una donna "scandalosa" come Carmen spaventava. Anche se ci fu chi fece notare che, in fondo, la coltellata che l'uccideva rappresentava il giusto castigo per una vita dissoluta. Che le donne ne traessero le dovute conseguenze. Che ne ricevessero la salutare catarsi come da una tragedia greca.

Ma nessuno, all'epoca, poteva prevedere la fertilità del sangue di Carmen.

Farà infatti fiorire sulla scena addirittura un giardino di figure femminili ancor più pericolose della sigaraia.

A cominciare da Nora Helmer, la protagonista di *Casa di bambola* di Ibsen (1879), che abbandona il marito e l'agiatezza per conservare integra la sua indipendenza morale.

Ma come? Una donna alla quale il devoto marito non fa mancare niente, che vive agiatamente, che ha una casa così bella che sembra quella di una bambola, abbandona il tetto coniugale per cervellotiche fisime spirituali? Avesse lasciato il marito per un amante, in fondo, si sarebbe anche potuto capire. E rimediare. Ma così, senza una vera, concreta ragione...

A lungo questo lavoro di Ibsen fu interpretato alla stregua di un manifesto femminista, ma l'autore, a scanso forse di responsabilità, dichiarò in una conferenza tenuta presso un circolo femminile che intendeva solo proporre un'idea di matrimonio che contemplasse la lealtà tra i coniugi.

Quello di Nora venne considerato un esempio pericoloso perché avrebbe potuto suscitare in altre donne richieste di un'autonomia di pensiero in un sistema a pensiero unico, quello dell'uomo, il capofamiglia. E per evitare il rischio di contagio, in alcuni Paesi non europei il permesso di rappresentazione venne concesso a patto che fosse aggiunto un finale nel quale Nora, pentita del suo gesto, tornava a casa e supplicava il marito di perdonarla.

E che dire di Hedda Gabler, altro personaggio di Ibsen, che rompe una sottile rete di compromessi famigliari, tessuta da lei e attorno a lei, uccidendosi con un colpo di pistola?

«Ma queste sono cose che non si fanno!» è l'ultima battuta della commedia detta proprio da chi la ricattava sessualmente. E con ogni probabilità interpretando il pensiero della maggioranza degli spettatori.

E poi, nel 1888, arriva la signorina Giulia di Strindberg, la giovane donna che nella notte di San Giovanni non sa resistere ai sensi e seduce un vigoroso servitore, Jean.

Vogliamo scherzare? È possibile che una donna non sappia tenere a freno i suoi istinti e infanghi se stessa concedendosi al primo venuto senza tenere in nessun conto la sua condizione sociale che comporta doveri e regole da rispettare? Se si comincia così, dove si va a finire?

La risposta, certo non rassicurante, sembrerà darla qualche anno dopo Wedekind con la sua Lulu, la protagonista de *Il vaso di Pandora*, la personificazione assoluta del sesso inteso come mezzo di dominio. Che nel vortice dei sensi trascina fatalmente ogni uomo e che addirittura morirà uccisa da Jack lo Squartatore.

Per fortuna, sul finire del secolo, dalla Francia partirà la moda del bal tabarin e del vaudeville.

Le donne torneranno ad essere glorificate come non mai per le loro grazie esibite con grazia, non per i loro pericolosi cervelli.

Così i buoni spettatori borghesi poterono tornare a dormire sonni tranquilli.

E io, terminate queste righe, invece della solita sigaretta, stavolta mi accenderò un sigaro.

In onore di Carmen, naturalmente.

Desdemona

Otello, l'acclamata tragedia di Shakespeare, a leggerla, è proprio un gran pasticcio. Ci sono un'infinità d'incongruenze temporali, caratteriali, psicologiche. Gli studiosi si sono dovuti arrampicare sugli specchi per tentare di risolverle, senza riuscirci. Son tutte pecche che però scompaiono magicamente non appena dalla lettura si passa alla rappresentazione scenica.

Dalla stragrande maggioranza dei critici, l'opera viene definita come "la tragedia della gelosia".

Ma davvero è così?

Com'è noto, Shakespeare s'ispirò alla settima novella della terza deca degli *Ecatommiti* dell'italiano Giovan Battista Giraldi Cinzio che lesse non si sa se nell'originale o nella traduzione francese. Comunque sia, Cinzio non dà alcun nome ai personaggi della sua novella, fatta eccezione per Desdemona. Quindi i nomi che compaiono nella tragedia, da Otello a Iago, da Cassio a Emilia, da Brabanzio a Roderigo, sono tutti dovuti alla fantasia del tragediografo.

Ma cosa gli suggerisce di fare del protagonista "the moor of Venice"? Vale a dire un uomo di pelle nera?

Probabilmente perché Cinzio ebbe due modelli reali: il patrizio Cristoforo Moro che fu governatore di Cipro e "il capitano moro", soprannominato così perché scuro di pelle, ma che era un italiano del meridione e si chiamava Francesco da Sessa.

Shakespeare ne fece invece, e a ragion veduta, un moro autentico. Un valoroso generale della repubblica veneziana che seduce col racconto delle sue eroiche gesta la giovanissima figlia del senatore Brabanzio e segretamente se la sposa.

Quando il senatore viene, ad opera di Iago, messo con brutalità al corrente del matrimonio («il caprone nero sta montando la tua pecorella bianca») si mette a fare fuoco e fiamme, definendo quell'unione come "un tradimento del sangue". Credo che in questa frase consista il nucleo della tragedia. Ci tornerò alla fine.

Inoltre Brabanzio accusa Otello d'avergli plagiato la figlia, annullandone la volontà con sconosciuti filtri e formule magiche. E anche qui l'allusione razziale è più che evidente: Otello sarebbe una specie di stregone che quei riti ammaliatori li ha nel sangue.

Il senatore sottopone il caso al consiglio presieduto dal Doge, ma l'arrivo di un messo che annunzia un imminente attacco turco a Cipro convince il consiglio a far partire d'urgenza il generale Otello in difesa dell'isola, accompagnato dall'appena sposata Desdemona.

E qui accennerò, per necessità, a una delle incongruenze. Dallo sbarco della coppia a Cipro fino al termine della tragedia corrono appena trentasei ore, troppo poche perché, considerate tutte le vicende che succedono in quel lasso di tempo, Desdemona e il suo presunto amante Cassio trovino il momento adatto non dico per appartarsi ma almeno per scambiarsi qualche fuggevole effusione.

Accecato com'è dalla gelosia tenuta continuamente accesa dalle insinuazioni di Iago, Otello, che già di suo non deve essere quello che si dice un gran ragionatore, perde ogni senso logico. E questo lo si può comprendere.

Ma perché Desdemona non si difende usando lei le armi della logica? Se non verso Otello, che ormai è incapace d'intendere, almeno verso se stessa? Usandole cioè a suo favore?

Mi spiego meglio. Nessuna donna al mondo, accusata dal marito di un probabile tradimento, si difenderebbe non difendendosi, come in fondo fa Desdemona. È un atteggiamento che naturalmente si ritorce contro di lei, rinforzando i sospetti di Otello.

Quando questi le dichiara che vuole ucciderla, la risposta è: «Allora Iddio abbia misericordia di me».

Quando Otello le rinfaccia d'aver visto in mano a Cassio il fazzoletto che lui le aveva regalato come pegno d'amore, Desdemona ribatte che forse Cassio l'avrà trovato per terra. Che potrebbe essere anche la verità, ma detta così sembra non esserla.

E tutte le volte che Otello l'accusa d'essere una baldracca e di averlo tradito, lei fa domande tipo come, con chi e perché. Mai una sola volta che domandi quando. A questa domanda

Otello non avrebbe saputo dare una risposta, perché il tempo materiale del tradimento non ci sarebbe stato.

Questo atteggiamento passivo, e inconsciamente anche collaborativo, di Desdemona, mi ha sempre intrigato.

Forse la spiegazione si trova in una sua frase pronunziata durante la prima, violenta scenata di gelosia, allorché dice al marito:

«Quello che avete perduto voi ho perduto anch'io».

Desdemona è cosciente d'avere, per amore, perpetrato quel tradimento del sangue che è stato gridato con sgomento da suo padre Brabanzio. Quel matrimonio ha alienato affetti, amicizie, alleanze, simpatie. Desdemona sa perfettamente che, terminata la parentesi cipriota, al ritorno a Venezia quel matrimonio che non si aveva da fare tornerà ad essere oggetto di contesa e di contrasto.

Insomma, Desdemona intuisce che la sua unione con Otello, un moro, è ad altissimo rischio d'estinzione, in un modo o nell'altro.

Si abbandona dunque passivamente alla morte e solo negli ultimi istanti la sua giovinezza ha un moto di ribellione, ma è troppo tardi.

No, non è il dramma della gelosia di Otello.

Quel dramma ne copre uno ancora più grande, quello appunto del tradimento del sangue. Allora sì che tutto diventa chiaro.

Desdemona si offre come vittima sacrificale perché la sua morte risarcisca la società di quel tradimento.

E se proprio sul tema della gelosia si vuole insistere, allora la vittima, a parer mio, non è Desdemona, ma Otello; e la tragedia della gelosia è quella di Iago. Che agisce come agisce perché è geloso di Michele Cassio verso il quale va il favore di Otello, ed è geloso di Otello stesso il quale, a quanto pare, avrebbe gradito le grazie di sua moglie Emilia.

Ma qui aprirei un altro discorso.

Desideria

Chiamare una figlia Desirée o Desiderata è una cosa, chiamarla Desideria è tutt'altra. Se non vado errato, Desiderata significa esserlo da altri, Desideria (neutro plurale) significa avere molti e diversi desideri in proprio. Da padre, me ne guarderei bene d'assegnare un nome così poco rassicurante a una neonata che però un giorno sarà ragazza, donna e moglie.

Per fortuna, crescendo, spesso le figlie, per restare al genere femminile, smentiscono i nomi di battesimo che le volevano, metti caso, Grazia, Bella o Serena diventando rispettivamente esempi di sguaiataggine, bruttezza e isterismo.

La Desideria che io conobbi era desiderata da tutti e non nutriva nessun desiderio per nessuna cosa.

Bellissima era, e di un garbo e di una finezza che molti credevano dovute a una lunghissima, secolare distillazione di sangue blu. Era invece la figlia unica di un vinaio ambizioso, e probabilmente ignorante, che l'aveva fatta educare in costosissimi collegi svizzeri.

Dopo averla frequentata per qualche mese mi resi conto

che il fragore del mondo arrivava a lei come quel fruscio che sembra di mare quando si porta all'orecchio il cavo di una grossa conchiglia.

La vita, nel bene e nel male, riusciva sì e no a lambirla.

Non era un atteggiamento acquisito, era una sua incapacità connaturata di percepire la realtà.

Leggevi, negli occhi dei ragazzi che le stavano attorno, il desiderio di farle una corte più serrata e, nello stesso tempo, la disarmante convinzione di non sapere da dove cominciare.

Sentivano che Desideria, anche se era in grado di chiamarli a uno a uno col loro giusto nome, in realtà non era in grado di andare oltre, di conoscerli veramente, di penetrare al di là delle fattezze fisiche.

Io invece avevo intuito quasi subito la tecnica con la quale rivolgermi a lei. Non le dicevo mai:

«Vuoi venire al cinema con me?».

Ma semplicemente ordinavo, senza farmi sentire dagli altri:

«Se non hai altri impegni, oggi vieni al cinema con me».

Non era come mettere in moto un automa, perché se le avessi chiesto se avesse voglia di venire al cinema, m'avrebbe di certo risposto di no.

Torno a ripetere, non la sentii mai esprimere il più piccolo desiderio. Accettava quello che le veniva offerto, e se non le andava lo rifiutava con un gentile cenno del capo. Non prendeva iniziative nemmeno in situazioni che volgevano a suo danno. Come quella volta, al mare.

Ci eravamo andati in tre, lei, io e il comune amico Mario.

La facemmo sedere ai margini della zona d'ombra proiettata dall'ombrellone. Poi io dovetti allontanarmi per qualche ora. Quando tornai, Desideria era in pieno sole, la sua pelle era diventata rossa. Stava cuocendo.

«Perché non l'hai fatta spostare?»

«Le ho chiesto se voleva e mi ha risposto di no.»

Aveva sbagliato la formulazione della domanda.

«Vattene all'ombra» le gridai.

M'ubbidì immediatamente, rivolgendomi uno sguardo di gratitudine.

Coloro che la conoscevano avevano opinioni diverse sulla sua personalità. Alcuni la ritenevano semplicemente una stupida, altri un'infelice paralizzata da una timidezza innaturale, altri ancora uno splendido corpo senz'anima. Un amico dantista l'aveva soprannominata Belacqua, il personaggio della *Divina Commedia* che se ne sta seduto ai piedi del monte che conduce al Purgatorio e lì se ne resta in eterno rifiutandosi alla scalata per pigrizia o ignavia.

Sbagliavano tutti, in Desideria non c'era nessun desiderio d'essere com'era.

Una sera facemmo una gita collettiva da fine settimana a Viterbo. Al momento della buonanotte, Mario, che aveva imparato da me come trattarla, sussurrò a Desideria:

«Non chiudere a chiave la tua porta».

Lei lo guardò sorpresa e non disse niente. Quando fu sicuro che tutti fossero in preda al sonno, Mario si alzò, percorse cautamente il corridoio, arrivò davanti alla porta della sua stanza, girò la maniglia, la porta si aprì, entrò, richiuse.

Veniva un poco di luce da un lampione stradale. Desideria era in camicia da notte seduta su una sedia. L'aspettava.

Mario la fece alzare, le tolse la camicia, la fece distendere sopra il letto.

«Abbracciami.»

Desideria l'abbracciò.

«Baciami.»

Desideria lo baciò.

Mario si alzò di scatto. Tutto a un tratto si era sentito ignobile, sarebbe stato una specie di stupro.

Si chinò, posò le labbra sulla sua fronte.

«Scusami. Buonanotte» le disse.

«Buonanotte» rispose lei quietamente.

Desideria si sposò due anni dopo con Tullio, un mio sincero amico, nobile e benestante, disperatamente innamorato di lei.

Fui io a rivelargli il metodo segreto per farle dire di sì. Ma dovette insistere molto.

Desideria morì partorendo il suo primo e unico figlio.

Al funerale, Tullio mi trasse in disparte.

«La sai una cosa?» mi balbettò mentre i singhiozzi lo straziavano. «Questo figlio l'aveva voluto lei. È l'unica cosa che mi ha domandato durante il nostro matrimonio. Non desidero né vestiti né gioielli da te, mi disse la nostra prima volta. Voglio solo un figlio.»

Elena

La storia ha inizio con un concorso di bellezza chiaramente truccato. O taroccato, se preferite. La racconto con ordine.

L'infallibile profetessa Cassandra, unica nel suo mestiere ma col brutto vizio di prevedere solo sventure, avverte Priamo, re di Troia, e sua moglie Ecuba, che il pargoletto da loro generato e che hanno chiamato Paride sarà la causa della distruzione della città. Per scongiurare una tale catastrofica eventualità, Priamo dispone che Paride venga abbandonato sul monte Ida. Lì egli crescerà facendo il pastore e diventando un giovane bellissimo.

Cambiamo scenario.

Sull'Olimpo, residence abituale degli dèi, si è accesa una pericolosa disputa fra Atena, Era e Afrodite, su chi sia la più bella. Se una disputa così tra comuni donne mortali potrebbe avere conseguenze devastanti, figurarsi cosa potrebbe succedere tra dee dotate di poteri soprannaturali. Occorre risolverla subito.

Ma non si trova un dio che sia un dio che voglia fare

da giudice, anche lassù nessuno intende mettersi nei guai. Allora Zeus invia sulla terra Ermes per cercare la persona adatta. Ed Ermes la scova nel bellissimo Paride che accetta ben volentieri: sarà lui, quale giudice unico, ad assegnare il premio consistente in un pomo d'oro, a colei che giudicherà la più bella.

Le tre dee si presentano al primo concorso di bellezza conosciuto nella Storia. Cogliendo un attimo di disattenzione delle altre due, Afrodite mormora all'orecchio di Paride che se le darà la vittoria in cambio gli farà avere Elena, la donna più bella della terra, una creatura da lei prediletta. Sono convinto che Paride il pomo l'avrebbe dato ad Afrodite anche senza la promessa di quel bel bocconcino. Ad ogni modo Afrodite vince, ma l'impegno preso con Paride non è facile da realizzare. Elena infatti è da anni sposata con Menelao, re di Sparta e fratello di Agamennone, il potente re dei re. Paride quindi, sia pure con qualche aiutino divino, è costretto a rapirla e a portarsela, sopra una nave, a Troia.

E qui domando: ma santo ragazzo, perché non te la sei portata sul monte Ida tra le tue pecore? Avreste trascorso una vita pastoralmente felice, mangiando caciotte e primo sale, lavandovi nei freschi ruscelli, amandovi dal calar del sole all'alba con la musica ininterrotta degli uccellini... lassù chi vi veniva a cercare? Nossignore, il principe Paride con la sua bella preda non trova di meglio da fare che tornarsene a casa dai suoi genitori, come un borghesuccio qualsiasi, un bamboccione dei giorni nostri. E a Cassandra, al vederselo ricomparire davanti, sarà venuta una giustificata crisi isterica.

Cambiamo ancora scenario.

Menelao (perdonatemi, ma mi sembra proprio un nome da predestinato) grida vendetta per l'affronto subìto e tanto fa e tanto dice da convincere suo fratello Agamennone e altri re a partire con una grande flotta per muovere guerra a Troia.

Il resto, direi, è noto. Anche perché ce l'hanno fatto sudare sui banchi di scuola (altra colpa non lieve da imputare a Paride).

Stando così le cose, della tragedia che colpì Troia, Elena non sarebbe minimamente responsabile.

Ma correvano insistenti voci che la faccenda era andata in maniera diversa. Elena non era stata rapita contro la sua volontà, ma era consenziente e al rapimento attivamente aveva collaborato, tanto che il viaggio in mare verso Troia non era stato altro che un ininterrotto esercizio amoroso. Che fosse d'una bellezza senza eguali era fuori discussione, ma era altrettanto certo che la sua sensualità era debordante. Altri la dicevano priva di scrupoli e cinica. Comunque sia, Menelao, troppo più vecchio di lei, grassoccio, bassino, non poteva essere in nessun modo il suo uomo ideale. Paride invece ne aveva tutti i requisiti.

Quando i Greci conquistano Troia – questo ce lo racconta Euripide nelle *Troiane* – e Menelao vuole riprendersi Elena, il suo intento è di riportarsela a Sparta per ucciderla. Con tutta evidenza gli sono giunte all'orecchio le voci del comportamento non propriamente consono a una donna rapita al legittimo consorte e sottoposta a brutali violenze sessuali. Ecuba, che ha avuto modo di conoscere per benino Elena durante il soggiorno troiano, gli consiglia di non incontrarsi con la moglie, perché quella, con un solo sguardo, gli farebbe cambiare parere, tanta è la forza del suo fascino che toglie la volontà a ogni uomo che la sfiora. E accusa Elena di essere vana, avida, rapace e priva di ogni sensibilità. Elena si difende affermando che la colpa di tutto è di Afrodite, lei non è che l'oggetto dei voleri della dea. E alla fine si capisce benissimo che Menelao, pur mantenendo una durezza di facciata, si guarderà bene, tornato a Sparta, d'uccidere Elena. La stringerà, ancora una volta, tra le braccia. E ancora una volta la seduttrice suprema avrà vinto.

Euripide, in seguito, dedicherà un'intera tragedia a Elena, a lei intitolandola. Solo che non si tratta di una tragedia, ma della prima, vera commedia che sia stata mai scritta. Una commedia leggera, brillante, in carattere con l'idea perpetuata nei secoli di questa donna. E che ribalta la storia che crediamo di conoscere.

Elena, che è l'onesta e devota moglie di Menelao, quando quel piccolo guappo di Paride tenta di rapirla, supplica Ermes di salvarla dal disonore. Ed Ermes provvede a fare una copia perfetta di Elena, un simulacro vivente, una simil sexy bambola parlante, che Paride rapirà credendola l'autentica. Che Ermes invece ha provveduto a nascondere in Egitto, a Faro, affidandola al re Proteo. La casta Elena lì trascorre i suoi giorni sospirando d'amore per il suo Menelao lontano, ma la situazione cambia allorché, morto Proteo, gli succede il figlio Teoclimeno che se ne innamora e vuole sposarla.

Lei non intende rinunziare a Menelao e va ogni mattino a pregare sulla tomba di Proteo perché quelle nozze siano scongiurate. E un tristo giorno apprende la notizia che Troia è sì caduta ma Menelao è morto. Come fare per restare fedele alla sua memoria?

Ed ecco approdare casualmente un greco straccione con alcuni suoi uomini e una donna. Il greco altri non è che Menelao il quale, nel lungo viaggio di ritorno verso la patria, ha perso ogni cosa, e la donna è il simulacro di Elena, che Menelao, come Paride, non sa essere una copia. Infatti, all'apparizione della vera Elena, il simulacro si dissolve. I due coniugi finalmente si riabbracciano. Resta il problema di come fuggire da quella terra dove oltretutto Teoclimeno uccide ogni greco che capita lì. Sarà Elena a pensare e a organizzare, con una furberia e una lucidità che ci restituiscono l'Elena leggendaria, una formidabile beffa a Teoclimeno che permetterà a lei e a Menelao di scapparsene felici e contenti a casa loro.

Io, più che l'Elena narrataci dai classici greci, amo, e tantissimo, lo confesso, quell'Elena che seppero ricreare un compositore del secondo Ottocento e un commediografo del secolo scorso.

Il primo è Jacques Offenbach, che nella sua operetta *La belle Hélène*, del 1864, rifacimento a modo suo del trio Paride-Elena-Menelao, travasò nella protagonista il meglio del suo spirito leggero, beffardo, scettico, elegante ed amante dei piaceri. Fu un successo mondiale. Quella musica che sapeva di cancan e di refrain, di lustrini e di ancheggiamenti da soubrette, amabile e orecchiabile, era la più adatta ad accompagnare il passo della seduttrice, a disegnarla, aerea e concreta a un tempo, nello spazio. Raccontano i cronisti dell'epoca che la sera della première al Variétés il pubblico parigino uscì dalla sala già canticchiando i motivetti dell'operetta. E molti re e imperatori accorsero in quel teatro a rendere omaggio, com'era doveroso, all'ultima folgorante apparizione della più bella tra le belle.

Il commediografo invece è Jean Giraudoux nei suoi due atti intitolati *La guerra di Troia non si farà*. Spiritosa e amara commedia, scritta da un teatrante-diplomatico che prevedeva già, da lì a qualche anno, lo scoppio dell'atroce conflitto mondiale provocato da Hitler.

Sull'incombere della tragedia di Troia, l'ironia, la grazia, l'apparente cinismo, il sorriso di un'Elena raffinata e inconsciamente crudele, che ci dice senza dircelo quanto sia vano davanti alla bestialità umana ogni ricorso a pietà e a ragione, compongono come una danza che afferma la bellezza della vita davanti a chi, da lì a poco, farà in modo di riempire i cimiteri.

Allora, chi è stata davvero Elena? Difficile dirlo. Io ho una risposta che vale solo per me.

Elena è stata, semplicemente, tutte le donne che gli uomini nel corso dei secoli hanno di volta in volta amato e odiato.

Una e centomila. Mai "nessuna".

Elvira

Due le Elvire che, a molta distanza d'anni l'una dall'altra, hanno avuto un ruolo fondamentale nella mia vita. La prima è stata la mia nonna materna, Elvira Capizzi in Fragapane, colei che ha saputo aprire la mia fantasia e a lungo m'ha aiutato ad esercitarla.

Nonna dialogava normalmente con gli oggetti, certe volte in dialetto, altre volte in linguaggi varii e del tutto inventati perché, mi spiegava con la massima serietà, una sedia non parla come un pianoforte o come una pentola.

Una volta che avevamo appena finito di pranzare nella casa di campagna e lei era rimasta seduta a tavola mentre tutti se ne erano andati, la sentii dialogare con un'antica saliera di vetro finissimo.

«Quanti anni hai, salè? Ducento? Sì? Vidisti moriri a mè catanonno, a mè nonno e a mè patre? Sì? E ora che fai? Ti nni stai a taliarimi aspittanno la mè morti? Sì? E io 'sta soddisfazioni non ta la dugno!»

Prese la saliera e la scagliò fuori dal balcone, in cortile.

Spesso, rivolgendosi ai suoi figli o a me, introduceva all'interno di un discorso comprensibile delle parole inventate, in genere dal suono bellissimo, che dovevamo sforzarci di capire. Oppure invertiva il significato delle parole e dei verbi. Le piaceva moltissimo cuocere lei stessa nel grande forno a legna il pane di grano duro per l'intera famiglia che sarebbe bastato per una settimana. Ebbene, lei, con estrema disinvoltura, annunziava:

«Domani mattina andrò a fornicare».

Conosceva benissimo il significato vero del verbo, ma lei si divertiva ad applicarlo al suo trafficare nel forno. E ai figli incombeva l'obbligo di spiegare, ad attoniti eventuali ospiti, cosa intendesse realmente fare la loro madre la mattina dopo.

Se mi saltava il ghiribizzo di giocare al barbiere, e mi presentavo a lei con in mano gli attrezzi da barba di mio padre, solo il rasoio a mano libera era sostituito da un coltello privo d'affilatura. Si sedeva immediatamente sopra una sedia, si lasciava mettere l'asciugamani attorno al collo e mi diceva:

«Varbe', oltri a farimi la varva, datimi macari 'na spuntatina ai capelli».

Una volta che le espressi il desiderio di voler giocare al pompiere, eravamo in campagna, non esitò un attimo ad accendermi nel cortile un grande falò che non riuscii a spegnere, e il fuoco cominciò a propagarsi e meno male che accorse suo figlio Massimo con un contadino. In quell'occasione, ricordo che nonna si divertì assai più di me.

Un giorno mi fece guardare il suo gatto che le stava sopra le ginocchia:

«Non ti pare che ghigni?».

Non aveva torto e glielo dissi.

«Lo sai che può esistere un ghigno senza gatto?»

«Davvero?»

Fu così che m'introdusse nel meraviglioso mondo di *Alice nel Paese delle Meraviglie*, un libro che lei adorava e che certo era estraneo alla nostra cultura. Diventammo complici, solo noi due fummo in grado di riconoscere, e così chiamare segretamente, nel cerchio di familiari e amici, chi per noi era un cappellaio matto e chi una lepre marzolina...

In campagna facevo lunghe passeggiate con lei. Ci fermavano a ogni passo perché nonna mi presentava (con nome e cognome, ovviamente) ora un grillo, ora una lucertola, ora un insetto, e di ognuno mi raccontava vita, morte e miracoli. M'incantava e mi spronava:

«E ora che ti ho contato del grillo che si chiamava Arturo Cocò, che mi conti tu di suo fratello Giacomino?».

Profondamente religiosa, ma pronta a capire e a perdonare peccati e colpe degli altri, non mi parlò mai né di Dio né di religione. Mi diceva solo:

«Cerca di essere sempre onesto con te stesso».

Fu la prima lettrice delle mie prime poesie, naturalmente erano a un tempo ingenue e scolastiche. Non ne era soddisfatta.

«Scrivi comu ti detta 'u cori.»

Non le ho dedicato nessuno dei libri che ho scritto. Forse perché so che a scriverli, con me, è stata lei.

L'altra è Elvira Sellerio. Ho detto una volta, dopo la sua

morte, che la nostra amicizia non fu quella che può nascere tra un editore e uno scrittore, son certo che saremmo diventati amici lo stesso anche se io fossi stato un rappresentante di elettrodomestici. Elvira pubblica *La strage dimenticata*, che è il primo mio libro edito dalla sua casa editrice, nel 1984; il secondo, *La stagione della caccia*, nel 1992. Ci sono dunque otto anni d'intervallo che corrispondono a un mio silenzio come narratore.

Ebbene, è proprio in quegli anni che la nostra amicizia si è sviluppata e consolidata. Allora andavo al mio paese in Sicilia due o tre volte l'anno e facevo in modo, tanto all'arrivo quanto alla partenza, di fermarmi a Palermo per stare almeno mezza giornata con lei.

Da come mi sorrideva, appena mi vedeva entrare nella sua stanza, capivo quanto mi volesse bene. E a me, solo con lei, capitava d'aprirmi come con nessun altro. Quante ben dissimulate incertezze, paure, indecisioni conobbe di me! E ogni volta me ne ripartivo ristorato, confortato.

Poi io cominciai a chiamarla "Elvirù" e lei prese a dirmi "mio amico del cuore".

In quegli anni non mi domandò mai quando le avrei dato un altro libro. Solo dopo avere assistito al mio spettacolo *Il trucco e l'anima*, basato su tre poemi di Majakovskij, mi guardò e mi disse:

«Penso che tu ora sei in grado di ricominciare a scrivere».

Aveva capito tutto. Quello spettacolo, infatti, era il mio segreto addio al teatro.

L'ho sempre considerata come l'esempio assoluto del meglio della donna siciliana. Riservata, tenace, determinata, convinta delle proprie idee e pronta a battagliare per esse, e nello stesso tempo dolcissima, generosa, comprensiva, sensibilissima.

I proprietari della casa romana dove abitavo da oltre un ventennio mi misero davanti a un aut aut: o comprarla per settecento milioni di lire o lo sfratto.

Io e mia moglie eravamo due pensionati, non avevamo scelta. Quando Elvira lo seppe, mi telefonò.

«Te li do io» disse di slancio.

Sapevo non solo che non li aveva, ma che la casa editrice era sull'orlo del fallimento.

«Ma come fai? Se non ce li hai nemmeno per te!»

«Non li ho, è vero, ma a me viene più facile trovarli.»

Dovetti ingaggiare una battaglia per farla desistere.

Poi da lì a poco, per fortuna mia, di Elvira e della casa editrice, si profilò all'orizzonte la sagoma del commissario Montalbano.

Francesca

La conobbi come splendida trentenne in carriera, la dirigente unica di una fabbrica. Allora, cinquanta e passa anni fa, le donne come lei in Italia erano assai poche.

Milanese, di padre italiano e di madre tedesca, si era sposata subito dopo la laurea in chimica e il ricco marito, Giovanni, proprietario di diverse aziende, l'aveva messa a capo di una, di grandi proporzioni, dove si producevano profumi ed essenze distillati da agrumi siciliani che venivano esportati in tutto il mondo.

Giovanni l'aveva fatto non per avere intuito le qualità manageriali della moglie, ma perché, in quel momento, ne era innamorato pazzo e le avrebbe regalato la luna. Giovanni era fatto così, s'innamorava follemente di una donna per un periodo oscillante da uno a tre anni, dopodiché impazziva per un nuovo amore.

Ma con Francesca aveva commesso l'errore, o forse no, di sposarla, e quindi lei era rimasta a capo dell'azienda anche quando suo marito se ne era scappato prima in Australia e poi in America del Sud appresso a nuovi amori.

Francesca ogni tanto si consolava con qualcuno. A me assegnò il ruolo di amico del cuore, escludendomi da ogni funzione consolatoria.

In tre anni, lei aveva escogitato una tale quantità di diavolerie chimiche da consentire grossi guadagni all'azienda, guadagni nuovamente investiti per incrementare sia la produzione sia l'ingrandimento della fabbrica.

Vederla aggirarsi nei laboratori in camice bianco, alta, bionda, bella, i capelli a crocchia, severa, attenta, giusta nel rimprovero o nell'elogio, incuteva soggezione.

Gli operai l'amavano svisceratamente, avrebbero dato la vita per lei. Le operaie la rispettavano.

Fuori dall'azienda invece misteriosamente si trasformava, cambiava addirittura personalità. Si scioglieva i magnifici capelli che le arrivavano a lambire il fondo schiena, indossava un vestitino tanto elegante quanto succinto, e si scindeva. Proprio così, si scindeva, non mi viene altro verbo per spiegare il fenomeno che le succedeva.

C'era una Francesca trentenne, una donna esperta, conscia della propria bellezza e del proprio grande fascino, che si comportava col suo accompagnatore e con gli altri come tutti si sarebbero aspettati.

Ma contemporaneamente veniva fuori un'altra Francesca, capace di regredire in un attimo fino a un'età non superiore ai cinque anni.

Posso portare innumerevoli esempi di questa regressione, spesso imbarazzante.

Nel corso d'una cena ad alto livello, tra ambasciatori e

generali, pronunziò ad alta voce, in un momento di silenzio, rivolta a tutti e a nessuno:

«Mi scappa la pipì».

In un ristorante di lusso, quando il cameriere venne a domandarci cosa volessimo per dolce, lei disse:

«Un lecca-lecca».

Sbalordito, il cameriere le rispose che il lecca-lecca non era contemplato nel menu.

«E io lo voglio!»

«Non fare capricci» le dissi, «te lo compro quando usciamo.»

«No, lo voglio ora!»

E si mise a piagnucolare. Per levarsela di torno, mandarono di corsa qualcuno a comprare un lecca-lecca. Tutti gli altri clienti ci guardavano e ridevano. Io avrei voluto sprofondare sotto terra. Smise di piangere e di tirare su col naso solo quando un cameriere trafelato glielo portò. Alla prima leccata disse:

«Non mi piace».

E l'abbandonò sul tavolo.

Oppure c'era la richiesta perentoria di un cono gelato durante un funerale o di una gazzosa nel corso di una messa solenne.

Poi c'erano le monellerie che combinava per strada. Come quella di strappare dalle mani di una bambina una bambola e di sostenere con incredibile o puerile faccia tosta che era sua e che la bambina gliel'aveva rubata. Impadronirsi con destrezza di una mela o di una banana esposta sopra una bancarella e mangiarsela, era pratica quotidiana.

Una volta s'avvicinò a un vigile urbano, fulmineamente gli

tolse il copricapo e se ne scappò. Il vigile prese a inseguirla, ma dovette desistere perché Francesca era assai più veloce. Più tardi, quando l'andai a trovare a casa sua, le domandai perché l'avesse fatto. Quasi non si ricordava più dell'episodio.

«Ah, sì. L'ho dato a Maurilio, ci starà bene dentro.»

Maurilio era il suo piccolo pappagallo parlante.

Carlo, mio amico e suo consolatore per qualche mese, mi confidò che nell'intimità era di una sensualità travolgente. Prima di mettersi a letto trascorreva più di un'ora in bagno. Stava sotto la doccia a lavarsi, poi si annusava tutto il corpo, tornava a mettersi sotto la doccia. Ripeteva l'operazione tre o quattro volte. Infine si profumava con una preziosa essenza francese che a Carlo dava un po' di fastidio.

«Ma perché ti profumi tanto?»

«Perché sì.»

Poi, una notte, si decise a confessargli il motivo di tutte quelle docce e del profumo.

«Sai, quando esco dalla fabbrica, mi rimangono sempre addosso gli odori di zagara e di bergamotto, mi entrano nella pelle. Prima che vadano via, ce ne vuole. E poi, ad ogni buon conto, per essere certa che non ne rimanga traccia, mi profumo con quell'essenza.»

«Sì, ma che bisogno ne hai? Anche se la tua pelle odorasse di zagara e di bergamotto, non vedo che...»

«E no, caro! Se facessi l'amore con te odorando di fabbrica, mi parrebbe di tradire mio marito.»

Giovanna

Ho letto tanti drammi e poemi incentrati su Giovanna d'Arco e sempre, per me, la Pulzella d'Orléans si materializzava da quelle pagine con lo stesso medesimo volto. Anche se le interpretazioni della sua vicenda che poeti e drammaturghi ne davano differivano tra di loro e di molto, il volto per me restava sempre quello.

M'è successa la stessa cosa al cinema: a un certo punto il volto della Bergman è scomparso, sostituito da quell'altro.

Il volto era quello dell'attrice corsa Renée Falconetti, la protagonista del film muto *La passione di Giovanna d'Arco*, diretto dal danese Carl Theodor Dreyer nel 1928.

Se quel film è una delle pietre miliari non solo della storia del cinema, ma dell'arte del Novecento, lo deve, a parer mio, anche alla sconvolgente interpretazione della Falconetti.

Tutto il film è incentrato sull'interrogatorio di Giovanna da parte dei giudici presieduti dal vescovo Cauchon, decisi ad accusarla d'eresia e mandarla al rogo.

E la Falconetti, coi capelli rasati, senza trucco, ripresa sempre in primo o in primissimo piano, non è più la vittoriosa e ispirata condottiera d'eserciti ma una giovane donna il cui viso passa dalla rassegnazione all'orgoglio, dalla paura alla decisa affermazione della propria fede, dal dubbio all'estasi, dalla stanchezza all'angoscia, dal timore all'indignazione, con una misura d'arte tanto calibrata da raddoppiarne l'espressività.

Dreyer inoltre aveva fatto una cosa del tutto inusitata nel cinema, cioè aveva girato le scene secondo l'ordine del montaggio finale, in modo che la Falconetti potesse creare il suo personaggio seguendone una precisa progressione psicologica. Com'è dato abitualmente di fare a un'attrice di teatro. E la Falconetti era, soprattutto, un'attrice di teatro di rara versatilità.

Di lei il critico Robert Kemp scrisse che certamente era l'attrice meglio dotata della sua generazione, un'interprete di genio, purtroppo minata da una congenita incapacità di costanza e che aveva voluto scansare, quasi di proposito, la gloria.

Non ho nessuna intenzione d'addentrarmi nella selva intricata delle varie interpretazioni che storici e artisti hanno dato dell'enigmatica figura di Giovanna. Condottiera in nome di Dio, poi arsa come eretica, in seguito proclamata santa.

È provato però che era una pastorella che viveva nei boschi, che un giorno, a suo dire, cominciò a sentire le voci divine che la chiamavano a una grande missione politica e guerresca. Un'esaltata? Una santa?

Non m'interessa, m'interessa invece constatare come in breve tempo da ignorante contadinotta, che in quegli anni voleva dire un essere addirittura insignificante, si trasformi in una figura carismatica, emblematica, molto seguita dalla gente più disparata, che i potenti trovano opportuno sfruttare, mettendo un intero esercito al suo seguito. Se Giovanna fece dei miracoli, il primo certamente è questo: diventare la bandiera vivente di un popolo. Credo sia stata l'unica donna nella storia a riuscirci.

Ma le battaglie non le vince una bandiera trascinatrice, le vincono i generali che sanno elaborare tattiche e strategie. I potenti lo sanno e per questo le mettono al fianco Gilles de Rais, un nobile ricchissimo, un genio dell'arte militare, che già a ventitré anni era comandante dell'esercito reale e che due anni dopo diventa maresciallo di Francia per la vittoria riportata a Patay contro gli inglesi.

Gilles fu dunque lo stratega di Giovanna e con lei condivise le quotidiane asprezze della guerra.

Racconta qualche storico che condividevano anche i rari momenti di tranquillità: talvolta Gilles restava persino a dormire nella tenda di Giovanna e, per il freddo, i due giovani, ché tali erano, si tenevano castamente abbracciati.

Gilles dunque ha devotamente respirato da vicino l'odore della santità, gli è stato concesso di conoscere da presso, direi di toccare con mano, la personificazione di un'idea extraterrena del Bene.

La sua dedizione, la sua fedeltà verso Giovanna sono assolute, non conoscono dubbi o esitazioni.

Dopo la tragica fine di Giovanna, Gilles si dimette dagli incarichi militari e, diventato ancor più ricco per eredità e matrimoni, si dà a una vita dispendiosissima e raffinata tra un suo castello e un altro. Ingaggia intere compagnie teatrali per mesi interi per il suo personale divertimento.

Poi trova stabile dimora nel castello di Machecoul.

E qui, invece che di teatranti, si circonda di una tribù d'alchimisti e d'occultisti, tra i quali spicca un monaco spretato aretino, Francesco Prelati, che si vanta d'essere in grado di evocare il diavolo.

È proprio quello che Gilles desidera ardentemente: trovarsi a tu per tu col diavolo.

Nello stesso tempo cominciano a circolare voci sempre più insistenti sulle terrificanti nefandezze di Gilles che comprerebbe o farebbe rapire bambini, figli di contadini dei dintorni, per stuprarli, smembrarli e offrire in omaggio al diavolo pezzi di quei corpicini.

Arrestato dopo qualche tempo, alla minaccia di tortura confessa e viene condannato a morte assieme ad alcuni suoi compagni di scellerataggine. Sarà prima impiccato, poi il suo corpo verrà dato alle fiamme.

Gli vengono imputati circa duecento omicidi di bambini e di giovanetti.

Dalla sua vicenda nasce la leggenda di Barbablù.

I più sostengono che Gilles volesse incontrare il diavolo per ottenere da lui la formula per rientrare in possesso delle enormi somme sperperate. Io sono convinto che Gilles abbia invece voluto conoscere, dopo il Bene assoluto, anche il Male assoluto.

Ma per conoscere interamente il male, bisogna praticarlo fino in fondo. Cosa che Gilles fece.

E credo che al culmine dell'orrore si sia reso conto che non c'era più necessità d'evocare il diavolo, bastava che si guardasse allo specchio. Aveva finalmente raggiunto l'altezza di Giovanna, ma dalla parte opposta, l'unica che gli era concessa.

E così poteva idealmente tornare a dormire accanto a lei come nei giorni di guerra, il Bene e il Male uniti, addirittura confusi in uno stretto abbraccio.

Helga

L'estate del 1947 non fu una buona stagione per i bagnanti: il sole non reggeva più di tre-quattro giorni, poi veniva coperto da una densa coltre di nuvole caliginose che portavano pioggia e temporali. Il maltempo si prolungava anch'esso per tre-quattro giorni, quindi tornava il sole.

Una mattina, malgrado che dal giorno avanti il cielo fosse coperto, mi recai alla spiaggia. Lo stabilimento balneare era malinconicamente deserto. Mi misi in costume e mi feci portare una sdraio in riva al mare. Che era alquanto mosso. Cominciai a leggere il romanzo che m'ero portato appresso. Dopo un po', alzando gli occhi, m'accorsi che qualcuno nuotava verso la spiaggia. Doveva trovarsi in mare, e ben lontano dalla riva, già quando ero arrivato perché non me n'ero accorto. Poi quel qualcuno si alzò in piedi e vidi che era una ragazza.

Mi passò accanto per andare allo stabilimento. Era una ventenne bruna, slanciata, un gran bel corpo.

«Com'è l'acqua?» le chiesi.

«Magnificamente fredda» mi rispose senza nemmeno guardarmi.

Aveva detto magh-nificamente. Doveva essere tedesca. E infatti solo una straniera, all'epoca, avrebbe trovato normale andare in spiaggia dalle mie parti senza un'amica o un accompagnatore. Una mezzoretta dopo, l'addetto dello stabilimento portò una sdraio, la sistemò accanto a me. Appresso comparve la ragazza in un prendisole immacolato, anche se per prendere il sole si sarebbe dovuto trapanare lo spesso strato di nubi. Pettinata, perfettamente in ordine.

Si fermò in piedi davanti a me. Mi alzai. Mi porse la mano accennando stranamente a un mezzo inchino.

«Mi chiamo Helga. Disturbo?»

Le dissi il mio nome, le risposi che non disturbava e le domandai, mentre ci risiedevamo, se fosse tedesca.

«No. Svizzera.»

«Turista?»

Si mise a ridere. Aveva un volto irregolare che il sorriso compattava rendendolo assai bello. E mi raccontò la sua storia. Ventiquattro anni appena compiuti, sposata da cinque con un trentenne svizzero tedesco come lei che aveva una catena di ristoranti. Il marito stava sovvenzionando il restauro e il rinnovo di uno storico ristorante agrigentino e aveva una matrimoniale fissa al pianoterra del Grand Hotel des Temples. Dove lei, da due anni, veniva a passare, da sola, un mesetto di vacanza.

«Due anni? E com'è che non l'ho mai vista prima?»

«Perché sono andata sempre nella spiaggia di San Leone.

Ma stamattina m'è venuta l'idea di farmi accompagnare qui. Questa mi piace di più.»

Si era levato un po' di vento, non dava però fastidio. Avevo posato il romanzo per terra, il vento lo sfogliò. Di scatto si chinò, lo raccolse, soffiò tra le pagine per pulirle dai granellini di sabbia, me lo porse.

«Detesto il disordine e lo sporco» dichiarò.

Il suo sguardo cominciò a percorrere minutamente il mio corpo, di sicuro voleva accertarsi della mia dimestichezza con la pulizia. Dovetti superare l'esame perché mi disse:

«Diamoci del tu».

E cominciò a voler sapere di me. Ma m'interruppe quasi subito, le piaceva di più parlare di sé. Ci intrattenemmo piacevolmente fino a quando lei, guardando l'orologino, mi comunicò che entro pochi minuti sarebbero venuti a prenderla con la macchina del ristorante.

«Ci vediamo domani mattina?» mi domandò.

«Certo» risposi con entusiasmo «e tutte le mattine finché resterai qui.»

«Ma io purtroppo sono arrivata alla fine della mia vacanza! Potrò venire qua ancora domani, ma dopodomani mattina devo partire.»

Corrugò la fronte, stava pensando intensamente. Poi si risolvette.

«Senti, sei libero oggi pomeriggio per venire ad Agrigento? Avrei piacere di parlare ancora con te, ma non vorrei farmi vedere in giro con un ragazzo, capisci? L'anno scorso ho scoperto un piccolo caffè pochissimo frequentato, ma molto pulito, che ha una stanzetta interna... Posso stare con te due ore esatte, dalle cinque alle sette. Ti va bene?»

Mi andava benissimo. Mi spiegò come arrivare al caffè, si alzò, corse verso lo stabilimento a cambiarsi. Ma si fermò, tornò indietro, io ero ancora in piedi, sollevò una mano, me la passò sopra la fronte.

«C'era un po' di sabbia» mi disse.

Arrivai puntualissimo, ma lei era già lì, seccata. Mi fece notare che portavo due minuti di ritardo. Le mostrai l'orologio che segnava le cinque spaccate. Mi mostrò il suo che segnava le cinque e quasi tre minuti.

«E chi ti dice che non sia esatto il mio?»

«Impossibile. Il mio è svizzero e di gran marca» tagliò corto. E proseguì.

«Stamattina non ti ho detto che...»

E riprese a parlare di sé. Ogni tanto s'interrompeva per togliermi ora un pelo dalla giacca ora un qualcosa che solo lei vedeva dal collo o tra un bottone e l'altro della camicia. A un certo punto mi spazzolò un ginocchio e poi ci lasciò la mano sopra. Io ricambiai il gesto. Il contatto fisico la spinse verso un discorso più intimo. Non aveva figli perché ancora non ne voleva, d'altra parte con un marito come il suo... La teneva a stecchetto, sì e no una volta ogni tre mesi. E lei, che era dotata di un grosso temperamento, disse proprio così, soffriva assai. Le sussurrai, carezzandole il ginocchio, che ero disposto ad alleviare le sue pene. Da quel momento la situazione precipitò. Ma non potevamo spingerci oltre un certo limite. Poi lei avanzò una proposta concreta.

«Puoi venire a trovarmi in albergo, ma a mezzanotte e un quarto precise.»

Conoscevo l'albergo, situato al centro di un parco circondato da un alto muro su cui si aprivano due cancelli, uno che era l'entrata principale e l'altro, più piccolo, che era l'entrata di servizio. Ma tutti e due venivano chiusi proprio a mezzanotte. Come avrei fatto a entrare? Mi spiegò che a tre passi dal cancello di servizio un pezzo di muro era caduto e che a chiudere il varco era stato messo del filo spinato. Ma che si poteva passare lo stesso facendo un po' d'attenzione. L'ultima finestra a sinistra della facciata posteriore, al pianoterra, era quella della sua camera da letto. Bastava che bussassi leggermente e m'avrebbe aperto.

Guardò l'orologio, disse che mancava un minuto alle sette, ci baciammo, mi tolse qualcosa dai capelli, si alzò, se ne andò.

Dissi ai miei che quella notte l'avrei trascorsa in casa di un amico a studiare, uscii di casa in bicicletta, bighellonai per il paese, poi alle undici presi la strada per Agrigento. Tutta in salita, ma il pensiero di ciò che m'aspettava mi faceva pedalare da campione. Mancavano dieci minuti a mezzanotte quando cominciò all'improvviso a diluviare. Colto di sorpresa, sbandai, caddi con tutta la bicicletta. Proprio su un mucchio di, diciamo così, letame. Mi rialzai, proseguii, arrivai dietro l'albergo, alla luce della pila tascabile vidi il varco, lasciai la bici, mi chinai, avanzai di un passo per varcare la rete di filo spinato, mi ci trovai impigliato. Tentai di liberarmi con calma, non ci riuscii. E poi stavo perdendo tempo. Usai il peso del mio corpo, le punte lacerarono camicia, pantaloni e pelle, ma stavolta ci riuscii. Feci di corsa il viale, diluviava sempre. Helga aprì, mi vide, inorridì. Indossava una camicia da notte trasparente.

«Non entrare, sporcheresti tutto. E inoltre sei in ritardo di cinque minuti.»

«Stai scherzando? Fammi entrare.»

Mi disse d'aspettare fuori. Rimasi sotto la pioggia mentre lei formava una specie di stuoia-guida con asciugamani e accappatoi dalla finestra sino alla porta del bagno. Infine mi permise d'entrare, ma scalzo. Provai ad abbracciarla. Mi respinse, dura.

«Non mi toccare! Sei sporco e puzzi! Vatti subito a lavare!»

Mi pulii a fondo. Ma quando aprii la porta m'intimò di non muovermi. Venne a ispezionarmi, vide che sanguinavo da un graffio sul braccio.

«E no! Sporcheresti le lenzuola!»

Aveva una sorta di borsa pronto soccorso. Mi disinfettò, mi fasciò. Poi si mise ad annusare il mio corpo nudo, e malgrado tutto chiaramente voglioso, centimetro appresso centimetro, con una smorfietta di disgusto. Stava a mezzo tra un'infermiera che osserva una ferita purulenta e una massaia preoccupata che la lombatina stia andando a male.

«Puzzi ancora un poco, ti dispiace rilavarti?»

E poi, prima d'uscire dal bagno, guardandosi attorno:

«Guarda un po' che porcile che hai combinato!».

Quando andai da lei, stava distesa nuda sul letto, le braccia spalancate come in attesa della crocifissione. Mi disse di saltare i preliminari, non reggeva più, il suo temperamento non le permetteva ancora un attimo d'attesa. Mi misi all'opera. Dopo un quarto d'ora mi resi conto che una mummia avrebbe reagito meglio. Una volta disse ia, più tardi fece ia ia, sempre guardando il soffitto e non muovendo un muscolo. Alla fine mi domandò come mi era sembrata.

«Un uragano» dissi.

Sorrise compiaciuta. Mi fece uscire dalla finestra del bagno per non sporcare la camera. L'indomani ero raffreddatissimo. E così non potei andare in spiaggia per salutarla e per dirle come quella notte di folle passione sarebbe rimasta per sempre nella mia memoria.

Ilaria

La prima volta che seppi che era esistita fu verso il 1942, sfogliando una rivista di letteratura, dove c'era una poesia di Salvatore Quasimodo intitolata *Davanti al simulacro d'Ilaria del Carretto*.

La poesia aveva un incipit non propriamente eccellente:

Sotto tenera luna già i tuoi colli,
lungo il Serchio fanciulle in vesti rosse
e turchine si muovono leggere.

Poi continuava parlando di una sorta di misterioso rito propiziatorio che amanti convenuti d'ogni parte compivano alla sua presenza...

Non ci capii molto, m'incuriosii. Anche perché non riuscivo a comprendere quale significato Quasimodo desse alla parola simulacro.

Ma mi trovavo in Sicilia ed erano tempi duri, di guerra, così non ebbi modo di soddisfare la mia curiosità.

Qualche anno dopo tornai a imbattermi in lei, anche stavolta attraverso una poesia, ma del 1903 e anche questa non eccelsa. Autore ne era Gabriele D'Annunzio e i versi erano dedicati alla città di Lucca.

... chiusa ne' panni, stesa in sul coperchio
del bel sepolcro; e tu l'avesti a specchio
forse, ebbe la tua riva i suoi vestigi.
Ma oggi non Ilaria del Carretto
signoreggia la terra che tu bagni,
o Serchio...

Poi mi capitò di conoscere una ragazza lucchese e così, tra un mare di aspirate, seppi finalmente tutto d'Ilaria.

Nel 1400 Gian Galeazzo Visconti, duca di Milano, prega l'amico Paolo Guinigi, signore di Lucca e fresco vedovo della moglie undicenne Maria Caterina Antelminelli, di risposarsi, per ragioni prettamente politiche e guerresche, con la figlia del suo alleato Carlo del Carretto, signore di Finale Ligure e padre di una splendida fanciulla ventiquattrenne, Ilaria.

Pare che Paolo non avesse avuto modo di consumare il matrimonio con la bambina e, trovandosi nella necessità d'avere un erede, accetta il volere del duca di Milano.

Un matrimonio combinato dunque, un matrimonio di convenienza come tanti, ma appena Paolo Guinigi vede la futura sposa se ne innamora follemente.

Non sappiamo se fosse altrettanto ricambiato.

Comunque sia, è certo che la bellissima Ilaria fu, sia pure nel breve tempo che visse, una moglie perfetta.

Nel settembre del 1404, al ritorno da un lungo viaggio nei possedimenti del marito, Ilaria diede alla luce il primogenito Ladislao.

Ma l'8 dicembre dell'anno seguente morì nel corso del secondo parto, quello della figlia Ilaria Minor. Pare che sia morta tra dolori atroci e la sua fine fu un sincero lutto cittadino.

Il marito commissionò il suo sarcofago a Jacopo della Quercia, allora giovane ma già affermato, che ne fece un autentico capolavoro. A furor di popolo venne chiesto che l'opera fosse collocata nella cattedrale perché tutti potessero ammirarla.

Ma, dentro il sarcofago, i resti d'Ilaria non ci sono più da gran tempo.

Nel 1430 infatti Paolo Guinigi venne deposto e imprigionato. I suoi nemici s'impadronirono dei suoi beni, saccheggiarono le tombe di famiglia e, per estremo oltraggio, dispersero i resti d'Ilaria. Danneggiarono anche le parti laterali del sarcofago che però in seguito fu ricomposto come prima.

Un giorno cominciò a circolare la leggenda che ogni donna che le avesse carezzato il viso avrebbe avuto un parto senza problemi. E così cominciarono a formarsi carovane di coppie, amanti, fidanzati, sposi, che adempivano al rito per avere la sua protezione.

Gli uomini non resistevano a baciarla.

Quando la ragazza lucchese mi portò a vederla, provai un'emozione intensissima perché Jacopo della Quercia era riuscito a darci un'idea assoluta della bellezza femminile.

E non m'importa dunque niente della questione che alcuni studiosi hanno recentemente sollevato. Il volto d'Ilaria, dicono, assomiglia assai di più a quello di una bambina che a quello di una venticinquenne.

Non può darsi, si chiedono, che Jacopo si sia ispirato a una precedente scultura che ritraeva Maria Caterina Antelminelli, l'undicenne prima sposa di Paolo?

E poi, la donna raffigurata sul sarcofago misura un metro e quaranta d'altezza, mentre Ilaria, a stare alle cronache dell'epoca, era una donna alta.

Farei una sola osservazione. Il marito d'Ilaria il sarcofago di certo lo vide. E qui i casi sono due: o quello era il volto d'Ilaria o non lo era. In tutti e due i casi, a quanto si sa, non reagì.

Perché dovremmo farlo noi?

Oltretutto, come ho già detto, il sarcofago è vuoto.

Contentiamoci di rendere omaggio alla bellezza femminile.

Ah, un'ultima cosa. Nel 1957, anche Pier Paolo Pasolini dedicò una poesia a Ilaria. Superiore a quella di D'Annunzio e a quella di Quasimodo, ma non certo tra le sue migliori.

Decisamente, coi poeti, Ilaria non ha mai avuto fortuna.

Inés

L'aereo che in tredici ore mi avrebbe portato da Rio a Roma cominciò a muoversi verso la pista di decollo. Era al completo, fatta eccezione dei due posti alla mia destra. Quello a sinistra era occupato da una mia amica, febbricitante e intontita dagli antibiotici. Cadde in coma appena seduta.

Il volo notturno era senza scalo, mi felicitai di non avere nessuno alla mia destra. Quando viaggio in aereo non mi sento propriamente un uomo felice, mi agito, mi alzo e mi risiedo e, dato che allora era consentito, fumavo come una locomotiva in salita.

Ma la mia soddisfazione durò pochi attimi. Sopraggiunse, ansante, una donna seguita da una hostess. Doveva essersi imbarcata all'ultimo momento. Si sedette nel posto di corridoio, posò due grandi borse nel sedile tra me e lei, si allacciò la cintura. L'hostess si allontanò. La donna reclinò la testa all'indietro e chiuse gli occhi. Decollammo.

Appena si spense il segnale del vietato fumare, mi accesi la prima sigaretta. Le due borse, questo lo capivo anch'io che in materia sono un ignorante, dovevano costare ognuna un piccolo capitale. Lei si alzò per andare in bagno portandosene dietro una.

Mentre si chinava per prenderla, ebbi modo di notare che indossava un tailleur di gran marca, elegantissimo, che era molto bella, che doveva avere sì e no una trentina d'anni e che dagli occhi nascosti dietro gli occhiali da sole le colavano lacrime.

Dopo un po' m'alzai e, con aria indifferente, mi misi ad aspettarla in piedi nel corridoio. Volevo vederla mentre tornava. E infatti la vidi bene. Era alta, flessuosa, morbida. Una donna oltretutto di grandissima classe. Tornai prontamente al mio posto. Lei sedette, si era rinfrescata, profumava. Si tolse gli occhiali da sole. Reclinò di nuovo il capo, chiuse gli occhi. Io mi persi a guardare il suo profilo. Comunque, ero ingabbiato, mai le avrei chiesto d'alzarsi per lasciarmi passare. Avrei dovuto fare del mio meglio per controllare l'agitazione. Potevo solo sfogarmi fumando.

Dopo tre ore di volo avevo terminato il primo pacchetto di sigarette. Lo riempii con le cicche svuotate dal posacenere per far posto alle nuove e lo gettai nel portarifiuti.

«Via uno» disse improvvisamente lei senza guardarmi, con gli occhi sempre chiusi.

«Le dà fastidio?»

«No, anzi. Mi sto distraendo a osservare il suo nervosismo.»

Quindi aveva finto di dormire. Parlava un italiano perfetto, ma non era italiana, c'era qualcosa nella sua pronunzia che lo denunziava.

«È italiana?»

«No. Sono argentina. Mio marito è nato in Italia.»

Voltò la testa, che teneva dritta davanti a sé, dalla parte opposta alla mia.

Segno che non voleva continuare la conversazione.

Un pacchetto dopo, fu nuovamente lei a rivolgermi la parola, ma sempre senza guardarmi:

«A lei piace giocare d'azzardo?».

La domanda mi stupì. Voleva propormi un pokerino ai dadi? Era un'avventuriera che intendeva spennarmi?

«Non ne sono attratto.»

«Io sì.»

Infine si decise ad aprire gli occhi e a guardarmi apertamente. Le sue iridi erano di un incredibile verde smeraldo. Non si era fatta mancare proprio nulla.

Mi sorrise, mi porse la mano.

«Mi chiamo Inés.»

E aggiunse il cognome. Mi presentai anch'io.

Venivo da Buenos Aires, avevo visto quel nome e quel cognome ripetuti nelle insegne di alcuni negozi di moda femminile di gran lusso. Glielo dissi. Sorrise.

«Sono miei» ammise.

E, a riprova, tirò fuori da una borsa il passaporto e me lo mostrò.

«Perché m'ha domandato se mi piaceva giocare d'azzardo?»

Si fece seria.

«Perché ho deciso di puntare tutto su di lei. Giocarmi il futuro su un perfetto sconosciuto che non vedrò mai più.»

La guardai attonito.

«Si spieghi meglio, per favore.»

«Semplice. Mi trovo a una svolta che segnerà la mia vita. Io le racconterò la mia storia e alla fine le porrò una domanda. Accetterò la sua risposta e farò quello che mi dirà lei.»

Non sono un giocatore d'azzardo, ma un uomo curioso, e soprattutto delle donne, questo sì. Potevo perdermi quell'occasione?

«L'ascolto.»

Si alzò, tolse le due borse, le mise sopra il sedile che aveva occupato, si sedette vicino a me. Così poteva parlarmi confidenzialmente, non aveva bisogno d'alzare la voce.

«Sono nata in una famiglia molto ricca, a ventidue anni ho cominciato ad importare moda italiana, ho iniziato ad aprire i miei negozi e a lanciare una linea mia che ha avuto molto successo. A ventisei anni mi sono sposata, come le ho detto, con un italiano che ho fatto diventare direttore generale della mia società. È stata un'infatuazione, non lo amavo. Me ne sono accorta dopo due anni. Mi dia una sigaretta, per favore.»

Tirò due boccate, la spense, riprese a raccontare.

«Ho continuato a vivere con lui per inerzia e poi perché sa fare bene il suo lavoro. Dividerci avrebbe comportato un'infinità di complicazioni. Non ho voluto figli da lui. A ventinove anni, vale a dire due anni fa, ho conosciuto Enrique, un diplomatico. Ci siamo innamorati a prima vista, siamo diventati subito amanti. Da due mesi Enrique si trova a Londra, vi rimarrà almeno tre anni. Vuole che lasci mio marito e che vada a vivere con lui. Io, per tenerlo buono e soprattutto perché muoio dal desiderio di rivederlo, gli ho promesso di andarlo a trovare questo weekend, perciò adesso mi trovo su questo aereo.»

«Come mai è salita a Rio?»

«Ho detto a mio marito che andavo a Rio per vedere come procedevano le nostre cose là, abbiamo due negozi, e poi per trascorrere qualche giorno con una mia carissima e fidata amica brasiliana. Gli ho telefonato oggi e gli ho detto che l'avrei richiamato lunedì. Nel caso telefonasse lui, ma non lo farà, la mia amica sa cosa dirgli. Mentre stavo a Rio, Enrique m'ha chiamato ogni notte, ogni volta pregandomi in lacrime di restare con lui a Londra. Le ho detto tutto. Allora, la domanda che le pongo è questa: cosa devo fare? Trascorrere il weekend con lui e poi tornarmene a Buenos Aires rifacendo la vita di sempre, oppure restare a Londra e mandare all'aria il mio matrimonio?»

Mi guardava ansiosa. Le sorrisi.

«Lei si è fidata di me e ha fatto male.»

«Perché?»

«Perché è vero che non gioco d'azzardo, ma è altrettanto vero che vivo di ricatti.»

Si allarmò, indecisa se stessi scherzando o no.

«Dice sul serio?»

«Non vivo di ricatti, ma un ricatto stavolta glielo farò. Ragioni. So tutto di lei, come si chiama, che fa, ho memorizzato persino il suo indirizzo dal passaporto.»

Scosse la testa.

«Lei non mi sembra una persona che vuole denaro. E non me l'immagino mentre mi chiede... altro.»

«Ha ragione. La mia risposta è questa: resti a Londra col suo Enrique. Se non lo farà, e in questo consiste il mio ricatto, scriverò una lettera a suo marito rivelandogli tutto di lei. Come vede, non le lascio nessuna libertà di scelta.»

Allora fece una cosa inaspettata. Mi prese la mano e me la baciò.

«Ma come farà a sapere che ho seguito il suo consiglio?» mi domandò un momento dopo.

«Tra un mese esatto lei mi manderà una cartolina da Londra con la sua firma e quella di Enrique. Stia attenta: dalla data del timbro postale devo capire che non si tratta di un weekend. Si scriva il mio indirizzo.»

Obbedì. Poi tornò al suo posto senza rivolgermi più la parola.

Quando atterrammo a Roma, lei si alzò per prima, si chinò e mi baciò sulle labbra sotto gli occhi meravigliati della mia amica che era appena emersa dal coma.

Un mese dopo ricevetti una cartolina da Londra. La data corrispondeva a un mercoledì. C'era scritto:

"Siamo felici. Grazie".

Seguivano le firme di Inés e di Enrique.

Ingrid

All'invito dell'università di Copenaghen di tenere uno stage sul teatro di Pirandello, risposi di sì. Non ero mai stato in un Paese del Nord.

All'aeroporto venne a prendermi il preside della facoltà che conoscevo di nome perché era un noto strutturalista. Simpatizzammo subito. M'accompagnò prima in albergo e poi all'università, architettonicamente molto accogliente, bassi edifici immersi nel verde. Nei corridoi lunghi e spaziosi, dalle pareti immacolate, non vidi nemmeno uno studente.

«Oggi non ci sono lezioni?»

Mi guardò stupito.

«Sì. Perché?»

«Dove sono gli studenti?»

«Dove vuoi che siano? Nelle aule.»

Conoscendo l'andazzo dell'università di Roma, mi convinsi d'essere arrivato alla base lunare numero uno. Ne ebbi immediata conferma.

«Qua gli studenti non usano scrivere sui muri?»

«Sì. C'è un muro destinato a questo. È ricoperto di compensato. Ogni settimana lo sostituiamo.»

In segreteria m'avvertirono che lo stage era aperto anche agli studenti d'italianistica della Svezia e della Norvegia. Quindi, oltre a nove danesi, avrei avuto quattro svedesi e tre norvegesi.

L'aula che mi assegnarono era luminosa, spaziosa, elegante. L'indomani mattina tenni la lezione d'inizio, dopo una breve presentazione del preside che se ne andò subito dopo. Prima però ero andato al bar interno e mi ero fatto servire un whisky. Allora era una mia abitudine. Al bar vidi due belle, va da sé alte e bionde, studentesse che poi mi ritrovai in classe, sedute in prima fila. Parlai per due ore, le rimanenti due ore le dedicai a rispondere alle loro domande. Alla fine una studentessa danese, grassoccia, con gli occhiali, molto simpatica, mi domandò se avevo bisogno di una guida per conoscere Copenaghen e si propose lei stessa. Accettai. La sera mi portò in uno strano ritrovo di studenti. Quattro vetture di tram in disuso, riadattate e tra loro comunicanti, al centro di una piazzetta. C'erano anche le due studentesse bionde che si unirono a noi. Erano svedesi, una si chiamava Ingrid, l'altra Barbro. Trascorsi un'allegra serata.

L'indomani, all'università, mi stavo avviando al bar quando Ingrid mi tagliò la strada.

«No» mi disse.

E aggiunse di seguirla in classe. Sulla cattedra c'erano una bottiglia di whisky, un secchiello col ghiaccio e un bicchiere.

Il whisky, me n'ero accorto, era molto costoso. La classe rise davanti alla mia perplessità.

«È un regalo di tutti noi» disse Ingrid.

Lo stage sarebbe durato quattro giorni, dal martedì al venerdì, sabato mattina sarei ripartito per Roma. Il venerdì, prima della lezione, il preside m'avvertì che, nel tardo pomeriggio, ci sarebbe stata, all'università, una cena d'addio con gli studenti, io, lui e il rettore. Erano tutti contenti del corso e volevano dimostrarmelo.

A tavola ero seduto tra il rettore e il preside. Davanti a me stava Ingrid, più bella che mai. A metà cena, mi guardò e disse, tranquillamente, senza timore che gli altri la sentissero:

«Stasera, se ti va, vorrei stare con te».

Nessun equivoco era possibile. Se fossi stato in piedi, avrei barcollato. Arrossii. Il rettore non parlava l'italiano ma il preside di certo aveva sentito e capito, solo che continuava a mangiare, la cosa non lo riguardava.

«Ne parliamo dopo» dissi impacciato a Ingrid.

Terminati i saluti, lei mi seguì fuori dall'università. Mi sentivo tentato come sant'Antonio.

«A che ora hai l'aereo domani?» mi domandò.

«Alle undici.»

«Ti faccio una proposta. Alle otto prendiamo il traghetto e andiamo a Malmö, dove c'è casa mia. Puoi tornare qua quando vorrai, ti riaccompagno. Ci sono anche dei traghetti notturni.»

«Ma quanto c'impieghiamo ad arrivare a Malmö?»

«In un'ora e mezzo ci siamo.»

«Andiamo» dissi.

Era stato più forte di me. Il traghetto era pieno di svedesi
ubriachi perché, mi spiegò Ingrid, gli spacci di alcolici in
Svezia chiudevano alle tre del pomeriggio e quindi i beoni
erano costretti a recarsi in Danimarca.

Arrivammo, scendemmo, andammo in un vasto posteggio
dove Ingrid aveva lasciato la sua macchina. Appena dentro,
prese l'iniziativa.

Collaborai. Dopo un po' mise in moto e partimmo verso
casa sua.

In un quartiere fatto di graziose casette, ognuna con relativo grande giardino, si infilò dentro un cancello, imboccò
un vialetto che portava a una villetta a un piano, la costeggiò,
posteggiò la macchina dentro il garage accanto a un'altra auto.
Passando, avevo notato che dentro il villino le luci erano accese.
Non me ne preoccupai, chissà perché mi persuasi che abitasse
con qualche compagna di studi. Aprì la porta con la chiave,
dall'anticamera disse qualcosa, una voce femminile le rispose.

«Vieni.»

La seguii. Entrammo in un grazioso salottino. Un uomo e
una donna, alquanto più giovani di me, stavano guardando
la televisione. Si alzarono.

«Questa è mamma e questo è papà» disse Ingrid presen-
tandomi.

Aggiunse qualcosa, credo stesse loro spiegando che ero il
professore venuto dall'Italia.

«Andiamo nella mia stanza» fece Ingrid prendendomi
per mano.

Ero inorridito e vergognoso. Che fare? Crollare svenuto?
Fingere un attacco di pazzia? Sedermi con loro nel salottino
e parlare dei primi acciacchi dell'età? Ma intanto Ingrid mi
aveva trascinato nella sua camera ch'era proprio accanto al
salottino. M'abbracciò, cominciò a baciarmi, ma s'interruppe:
    «Che hai? Sei tutto sudato».
    Colsi la palla al balzo.
    «Effettivamente mi sto sentendo male, mi gira la testa, forse
qualcosa che ho mangiato o un calo di pressione...»
    Cinque minuti appresso ero circondato dalle cure di papà
e mamma.
    Bevande calde, termometro. Una mezzoretta dopo dichia-
rai di sentirmi meglio. Papà volle riaccompagnarmi fino a
Copenaghen, mi lasciò solo davanti al mio albergo.
    Quella settimana l'indice di virilità degli italiani in Svezia
dovette cadere a picco, come fa la Borsa in tempi di crisi.
    Ed è in omaggio alla libertà, alla spontaneità e alla pulizia
morale di Ingrid che ho voluto che l'amica straniera del
mio commissario Montalbano fosse svedese e si chiamasse
come lei.

Jolanda

Le Jolande più conosciute da noi italiani sono due: "la figlia del Corsaro Nero", nata dalla fantasia di Emilio Salgari, e quella creata da Luciana Littizzetto e che è il nome con il quale lei si riferisce a una precisa parte del corpo femminile.

No, la mia Jolanda era una donna più che comune, ma...

Vivevo tempi di magra. Giovanni, che dirigeva una rivista di teatro e ne era anche l'unico redattore, per venirmi in soccorso mi propose d'aiutarlo anonimamente. Mi avrebbe dato una paga di ventimila lire mensili. Giovanni era sposato con una donna non certo bella ma molto simpatica da lui detta "il generale" perché aveva un alto grado amministrativo presso il ministero della Guerra (allora si chiamava così, poi ci scoprimmo pacifisti e il ministero si chiamò della Difesa).

Non avevano figli e, dato che il generale rincasava dopo le cinque del pomeriggio, a far da mangiare a Giovanni era la cameriera Jolanda. Poiché la redazione della rivista era in una stanzetta dell'appartamento di Giovanni, almeno due volte alla settimana ero invitato a pranzo.

Jolanda era un'ottima cuoca. Veniva dal Friuli, era un'ultracinquantenne dai tratti di contadina, pulitissima, sempre in ordine, apriva bocca solo per rispondere alle domande che le venivano rivolte. Da quindici anni prestava servizio in casa del generale.

La settimana che precedeva la stampa della rivista era una settimana convulsa, di passione. Giovanni si riduceva a comporla negli ultimi giorni e siccome amava far molto tardi la notte, e aveva il sonno pesante, si era inventato un metodo tutto suo per farsi svegliare alle otto del mattino. Il generale, naturalmente se n'era uscito un'ora prima. Una volta mi venne dato d'assistere al rito.

Jolanda sollevava con delicatezza testa e spalle di Giovanni dormiente e distendeva sotto di lui un ampio telo impermeabile. Quindi andava a prendere una grande caraffa colma d'acqua ghiacciata e gliela svuotava violentemente in faccia.

«Grazie» diceva Giovanni aprendo un occhio e saltando in piedi.

«Oltretutto» mi confidò un giorno, «questo è buon modo per farle scaricare l'inevitabile ostilità che corre tra serva e padrone.»

Ma sono convinto che Jolanda non nutrisse ostilità verso nessuno. Anzi, per me diventò una specie di suora di carità. Le volte che Giovanni era invitato fuori a pranzo, Jolanda immancabilmente insisteva perché restassi lo stesso. Capiva che nelle mie tasche i soldi latitavano.

Aveva modi rudi, ma era generosa e delicata.

Una volta, alla fine di uno di questi pranzi solitari, mi accesi l'ultima sigaretta che avevo. Tirai tre boccate, la spensi con cura e la rimisi nel pacchetto. Jolanda, che in quel momento stava sparecchiando, mi guardò interrogativamente.

«Mi resta solo questa» le spiegai «e me la devo razionare.»

«Vuole che scenda a comprargliene un altro pacchetto?»

«E chi me li dà i soldi?»

Tornai nella stanzetta. Giovanni mi telefonò per dirmi che sarebbe rientrato tardi. Io, prima che rincasasse il generale, salutai Jolanda, indossai il cappotto e uscii.

Faceva freddo e infilando le mani nelle tasche toccai due pacchetti di sigarette, uno per tasca. Li tirai fuori, erano della mia marca. Un grazioso, tacito dono di Jolanda. L'indomani la ringraziai. Recitò bene la parte. Fece finta di cascare dalle nuvole, disse che sicuramente li avevo comprati io e che me dovevo essere dimenticato.

Quando seppe che mi ero ammalato e che ero solo in casa, un pomeriggio venne a bussare alla mia porta. Per due settimane tornò ogni giorno, mi rimetteva in ordine l'appartamento, mi preparava da mangiare. La spesa, naturalmente, la faceva lei, coi suoi soldi.

Un giorno Giovanni trovò la finanziatrice per il suo progetto di una compagnia che rappresentasse soltanto novità di autori italiani. Si trattava di una ragazza milanese, amante di un ricco marchese, che voleva fare l'attrice di prosa.

Entusiasti, affittammo un teatrino, scritturammo gli attori, io venni incaricato di fare la regia del lavoro d'apertura. Cominciammo le prove, lo scenografo iniziò a far costruire

ANDREA CAMILLERI 95

la scenografia, la costumista a far realizzare i costumi. La ragazza milanese non sapeva recitare, me ne lamentavo con Giovanni, ma non c'era niente da fare, dovevo tenermela, tutto dipendeva da lei.

A tre giorni dalla prova generale la ragazza sparì. Al suo telefono non rispondeva nessuno, il portiere della sua abitazione non la vedeva da due giorni. Poi, dai giornali, apprendemmo che era scoppiato il famoso caso Montesi, che sconvolse l'Italia.

E, con orrore, scoprimmo che a farlo scoppiare era stata proprio la ragazza milanese, denunziando il marchese suo amante.

Di conseguenza il finanziamento s'interruppe. Io fui felice di sostituire la ragazza con una vera attrice, ma per andare in scena occorrevano venticinquemila lire.

Dove trovare una somma simile? Giovanni poteva contribuire con cinquemila lire, ma le altre ventimila?

Così, nel corso di un triste pranzo a casa sua, Giovanni decise che non aveva scelta. Bisognava abbandonare l'impresa.

Io allontanai il piatto con la bistecca. Mi era passato l'appetito, avevo lo stomaco chiuso. Rinunziare alla prima regia non era facile. Chissà quando mi si sarebbe presentata un'altra occasione. Ero avvilito, un groppo in gola.

Jolanda, tra una portata e l'altra, aveva avuto modo di ascoltare i nostri discorsi. E a un tratto disse:

«Mi scusino se m'intrometto».

La guardammo. Lo sforzo che fece per continuare a parlare fu evidente.

«Le ventimila posso darvele io. Le prendo dai miei ri-sparmi.»

Il lavoro andò in scena. I critici dissero assai bene della mia regia. Così diventai un regista.

Grazie a Jolanda, *la servante au grand cœur.*

Kerstin

Mio padre era un appassionato e un vero conoscitore di rose. Aveva scelto un bel pezzo di terra della campagna di mio nonno, suo suocero, e l'aveva trasformato in un grande roseto che accudiva personalmente prima di andare in ufficio in paese e al ritorno.

Nel '38 si era fatto arrivare dall'Olanda intere vagonate di piante con relativo terriccio. Aveva rose di tutti i tipi, colori e qualità, in ogni stagione c'erano sempre rose fiorite e in tale quantità che spesso, non sapendo più a chi regalarle, le forniva gratis per addobbare le chiese o in occasione di nascite e matrimoni in famiglie sconosciute.

Nell'agosto del '43, il nostro porto straripava di navi alleate cariche di armi, munizioni, automezzi e vettovaglie per l'esercito sbarcato un mese prima, e molte di più se ne stavano ancorate nei pressi e scaricavano le loro merci servendosi degli anfibi. Papà era stato nominato master harbor e non aveva un minuto di requie. Sicché l'incarico di accudire le rose passò a me.

Una mattina, terminato il mio lavoro, ne colsi un gran mazzo, erano stupende, e me ne scesi in paese. Alle prime case notai un ufficiale della marina mercantile americana, alto, robusto, biondissimo, a metà tra i quaranta e i cinquanta, che se ne andava a spasso. Ma appena mi vide si fermò, sorpreso, e cominciò a seguirmi per le strette straducole. Mi domandai, perplesso, cosa volesse da me. Arrivato davanti al portone di casa, mentre cercavo le chiavi, mi s'accostò e disse qualcosa in inglese. Gli risposi, a gesti, che non capivo, non parlavo la sua lingua. Allora mi indicò le rose e mi fece capire che ne voleva una. Dalla sua faccia traspariva un desiderio così acuto che, di slancio, gli misi tra le braccia tutto il mazzo. Incredulo, s'illuminò, mi ringraziò più volte, poi trasse da una tasca un pezzo di carta e una stilografica, mi disse di scrivere il mio nome e indirizzo. Avutili, mi porse la mano, me la strinse, se ne andò.

Nel pomeriggio un marinaio americano bussò alla porta, mi consegnò un biglietto e attese la risposta. C'era scritto, in italiano, che il comandante della nave Rosenfeld, capitano Carl Jorgensen, sarebbe stato onorato d'avermi suo ospite per un tè l'indomani alle 17. In caso di risposta affermativa, sarebbero venuti a prendermi alle 16.30. Scrissi un biglietto d'accettazione e di ringraziamento altrettanto formale e lo diedi al marinaio.

Fu lo stesso che mi venne a prendere, puntualissimo. Al porto, dove regnava un traffico d'ora di punta, mi guidò verso un grosso gommone in attesa con un altro marinaio pronto a farlo partire. Salimmo, in pochi minuti fummo fuori dal porto, cominciammo una sorta di slalom tra le navi, giungemmo sotto la Rosenfeld. C'era pronta la scaletta di legno, Jorgensen mi aspettava per darmi il benvenuto a bordo. Mi condusse nella sua cabina che era piuttosto spaziosa. Su un tavolinetto c'erano piatti con tartine, gamberetti su foglie di lattuga che non so come se li fossero procurati, salatini. Un marinaio, in divisa immacolata, servì il tè a me e al comandante. Sopra una piccola scrivania ci stavano due foto incorniciate. Jorgensen ne prese una, me la mostrò. Rappresentava una graziosa casetta a un piano, col tetto spiovente, circondata da un giardinetto traboccante di rose fiorite. Parlò e il marinaio tradusse in italiano. Era la sua casa in Norvegia, le rose, che amava tanto, le curava lui. Le mie gli avevano ricordato la sua casa. Si era trovato con la sua nave nel 1939 negli Stati Uniti e un seguito di circostanze aveva fatto sì che non potesse più tornare in patria. Si era arruolato con gli americani per combattere i nazisti. Poi prese l'altra foto. Una splendida ragazza men che trentenne, ritratta a figura intera. Gambe lunghe e slanciate, capelli sciolti sulle spalle, un corpo da pin-up, come si diceva allora. Si chiama Kerstin, m'informò il marinaio, ed era la moglie del comandante. Non la vedeva da quasi cinque anni, non aveva nessuna notizia di lei. Jorgensen mi domandò se volevo altro tè, rifiutai, il tè non mi è mai piaciuto. Ringraziai, mi alzai e gli occhi mi caddero su una piccola libreria. Sempre curioso di libri, mi avvicinai a leggere titoli e autori. Erano essenzialmente tascabili della Penguin, ma c'erano anche dei romanzi di Simenon e di Gide in lingua originale. Gli domandai, in francese, se appartenevano a lui o erano lì per caso. Fece un largo sorriso, finalmente potevamo parlare senza interprete. Mi rispose che erano suoi, che era stato a lungo in porti come Brest e che era una lingua che aveva studiato a scuola oltre all'inglese. Mi pregò di restare ancora con lui per un po'. Sedetti di nuovo. Disse qualcosa al marinaio e quello sparecchiò e se ne andò. Jorgensen mi domandò se mi piaceva il whisky. Risposi di sì. Aprì un armadietto ben fornito, prese una bottiglia e due bicchieri, mi servì. Era curioso di sapere delle rose e di me. Gli raccontai quello che c'era da raccontare, bevendo e fumando Camel. Poi, con stupore, m'accorsi che il tempo era trascorso senza che me ne accorgessi.

Erano quasi le otto, papà si sarebbe preoccupato non vedendomi tornare.

Dissi a Jorgensen che dovevo andare. Mi supplicò di restare, aveva bisogno di parlare con qualcuno di una sua cosa privata, era così disarmato e commovente nel chiedermelo che acconsentii. Uscì per mandare un marinaio a casa mia e tranquillizzare papà. Sturò un'altra bottiglia. Poi mi chiese se volevo cenare. Risposi di no, preferivo ascoltare quello che aveva da dirmi.

«Non è facile» cominciò interrompendosi subito.

Si mise a divagare, raccontandomi alcuni episodi di guerra. Ma era evidente che aveva il pensiero rivolto altrove. Notai che gli occhi gli erano diventati lucidi non so se per effetto del whisky o per l'intensa interiore tensione. Mi domandò il permesso di levarsi la giacca. Poi si alzò, andò alla scrivania, aprì un cassetto chiuso a chiave, prese due grandi buste, aprì la più grossa, ne trasse una cinquantina di fotografie, me le mise davanti, senza parlare.

Erano tutte foto di sua moglie. Molte a figura intera, ma decine erano primi piani del volto, addirittura dettagli, le orecchie, le labbra, un minuscolo neo nella nuca. Un'ossessione. Cominciò febbrilmente a raccontare. Mi disse che Kerstin era svedese, che l'aveva incontrata in un negozio, che se n'era innamorato, che tre mesi dopo si erano sposati. La luna di miele l'avevano trascorsa chiusi nella casetta con le rose, che lui aveva comprato due anni prima. Poi, dopo un mese vissuto senza separarsi mai da lei, era dovuto partire per gli Stati Uniti e non l'aveva più riveduta.

«Capisce?» mi ripeteva. «Un mese solo di vita coniugale! E cinque anni di assenza!»

Continuò dicendomi tutto di Kerstin, della ragazza ventottenne che lui, quarantacinquenne, aveva sposato. Mi raccontò cosa preferiva mangiare, cosa leggeva, quali film le piacevano. Cosa la faceva ridere e cosa la commuoveva. Mi disse perfino di due sogni che lei gli aveva narrato al risveglio. Mi confidò che prima di lui Kerstin aveva avuto tre uomini, di uno dei quali, un trentenne, Olaf, era stata seriamente innamorata.

Poi, dopo una lunga esitazione silenziosa, aprì l'altra busta. Ancora foto di Kerstin, ma stavolta del tutto nuda. E anche qui con tutti i dettagli più intimi. Mi cominciò a parlare delle preferenze sessuali di lei, dei preliminari che particolarmente l'eccitavano, cosa la portasse all'acme del piacere, cosa pretendesse da lui... Confesso che ero molto imbarazzato e stupito, non m'immaginavo che un uomo del nord potesse giungere a tanto. Ma Jorgensen era inarrestabile. E beveva, beveva. Poi finalmente rimise le foto nelle buste e le ripose nel cassetto che chiuse a chiave.

Continuò a parlare. Era un uomo roso dal dubbio. Kerstin era troppo giovane, al ritorno l'avrebbe ritrovata nella casetta con le rose? Oppure si era rimessa con quell'Olaf che aveva amato? Se l'avesse trovata a casa, giurava, non le avrebbe rivolto domande imbarazzanti. Se c'era stato qualcosa, avrebbe capito. La giovinezza è la giovinezza, ha i suoi diritti. Tutto avrebbe sopportato, purché il Signore gli avesse fatto la grazia di rivederla come l'aveva lasciata, tra le rose del giardino...

Si mise a piangere. Poi mi chiese scusa, si lavò la faccia, si rimise la giacca, m'abbracciò, mi comunicò che l'indomani sera sarebbero ripartiti, chiamò il suo attendente, mi fece riaccompagnare a casa. Prima di mettere piede sulla scaletta, l'abbracciai a mia volta, gli sussurrai all'orecchio il mio augurio di buona fortuna.

Era notte fonda. Scivolai subito nel sonno. E inevitabilmente sognai di fare l'amore con Kerstin. Sapevo tutto di lei, era come se la conoscessi da una vita. Per alcuni giorni convissi con Kerstin, non riuscivo a staccarmene.

Una mattina di marzo del 1947 approdò una nave che batteva bandiera norvegese. Nel pomeriggio un marinaio bussò alla porta di casa mia, lasciò una busta per me. La lessi la sera, quando tornai per la cena. Era di Jorgensen, scritta in francese. Poche righe per dirmi che approfittava della cortesia di un collega per mandarmi notizie di sé. Era tornato in patria e aveva trovato Kerstin che l'aspettava. Era un uomo felice, attendevano un figlio. Mi ringraziava per la pazienza e la fraternità che avevo dimostrate verso di lui. C'era un post scriptum:

"Cette année les roses sont des merveilles!".

Louise

Proprio lei, la Brooks. E chi se no?

Esordisce a diciannove anni, nel 1925, come ballerina delle Ziegfeld Follies, ma a lungo ha studiato con una geniale innovatrice della danza moderna come Martha Graham.

Nel mio principio è la mia fine, direbbe Eliot. O meglio, nel mio principio c'è già condensata tutta la mia vita. Perché Louise si forma nel segno della ricerca, della sperimentazione, della creatività individuale e poi si allinea, si adegua ai leggendari balletti da gran varietà di Ziegfeld, fantasiosi certo, ma un po' prussiani, dove trenta ragazze praticamente identiche compiono in perfetta sincronia gli stessi movimenti, simili a bambole meccaniche.

La vita di Louise è tutta sotto il segno della contraddizione.

Bellissima, un corpo stupefacente, gambe a un tempo morbide e nervose di ballerina di gran classe, dotata d'intelligenza e di grande personalità, avrebbe tutte le carte per trionfare subito nella Hollywood del cinema muto. E invece, dal '26 al '28, partecipa a una decina di film e nessuno dei pur grandi registi che la dirigono, da Howard Hawks a William Wellman, intuisce quale tesoro, o quale bomba sarebbe più giusto dire, abbia per le mani.

Tra il '28 e il '29, i registi Malcolm St. Clair e Frank Tuttle che devono girare un film a quattro mani e che singolarmente l'hanno diretta in precedenza in due pellicole ciascuno, in un momento di rara intelligenza la scelgono come protagonista. Il film s'intitola *La canarina assassinata* ed è tratto dall'omonimo e bel romanzo poliziesco di S.S. Van Dine.

Qui Louise, che recitava la parte di una ballerina di night (cosa che avrebbe fatto in seguito nella vita), indossando uno strepitoso costume da canarina tutto penne, attirava magneticamente gli sguardi degli spettatori che restavano profondamente turbati del suo fascino. Era appena un accenno di quello che sarebbe capitato da lì a poco. Il film conobbe un successo internazionale.

In Germania sicuramente lo vide il grande regista Georg Wilhelm Pabst che la chiamò immediatamente per dirigerla nel film *Il vaso di Pandora*, tratto dalla pièce di Wedekind. Nello stesso 1929, sempre con Louise, Pabst girò *Diario di una donna perduta*.

Ad avviso di molti studiosi di cinema, questi due film segnano l'avvento e la strepitosa conferma di un'interprete unica e irripetibile.

Nel personaggio della Lulù wedekindiana, Louise compie il miracolo d'assommare in sé ogni aspetto possibile della femminilità estrema.

Con i capelli neri a caschetto, la frangetta sulla fronte (à la garçonne, mi pare si dicesse), ogni movenza del suo corpo voluttuoso è un canto al piacere dei sensi, ma un attimo dopo la limpidezza, la purezza del suo sguardo sono un inno all'espressione più alta della donna.

La perfidia e l'amoralità convivono con l'innocenza e il candore.

Quella contraddizione perenne che è l'esistenza stessa di Louise qui trova il momento magico del giusto equilibrio, della composizione.

Louise passa sugli schermi con l'accecante splendore e la brevità d'apparizione di una meteora.

L'anno seguente, a Parigi, il nostro Augusto Genina la dirigerà in *Prix de beauté*, che segna l'inizio della parabola discendente. Non perché Louise non sia più la grandissima, inarrivabile attrice che era stata con Pabst, ma perché non troverà più gente capace di estrarre da lei maieuticamente il meglio della sua, per molti versi, inquietante e complessa personalità.

Genina di certo non lo era, e si vendicò dell'insuccesso del film dandone a lei la colpa, raccontando che passava le notti a bere e a fare l'amore ogni volta con un partner diverso, che una mattina la dovettero trasportare sul set avvolta nella coperta perché dormiva e si era rifiutata d'alzarsi... Insomma, vero o non vero, contribuì a creare la leggenda di una Lulù, così era stata soprannominata Louise, dissoluta, volubile, una donna perduta, appunto.

Pochi anni dopo, e anche a causa dell'avvento del sonoro, la sua figura venne oscurata e poi dimenticata. Ora trionfava

l'angelo azzurro Marlene Dietrich, ma la sua sensualità con-
clamata a confronto di quella di Louise non raggiungeva,
credetemi, quella di un'educanda.

Louise se ne tornò negli Stati Uniti, lavorò come ballerina
nei night, partecipò a qualche filmetto di secondo ordine,
fece l'attrice alla radio, invecchiò dimenticata.

Non poteva invece dimenticarla chi l'aveva vista nel '28 e
chi, più giovane, s'imbatteva in lei più o meno casualmente
nelle cineteche.

Poi i giovani francesi dei *Cahiers du cinéma*, Godard, Truf-
faut e compagnia bella, la scoprirono, ne rimasero giustamente
sconvolti e se ne esaltarono. La fecero venire in Francia,
organizzarono retrospettive dei suoi film più famosi.

Nel 1965 uscì su «Linus» la prima delle avventure di Valentina, intitolata *La curva di Lesmo*, il personaggio creato dal
grande disegnatore Guido Crepax. Io, e con me innumerevoli
appassionati della Brooks, gli fummo grati per aver dato a
Valentina le sue fattezze.

I riconoscimenti tardivi la spinsero a un diverso impegno.
Louise era una donna molto colta, grandissima lettrice. Cominciò a scrivere saggi e racconti sul cinema muto che poi
raccolse in volume, e per qualche tempo tenne una rubrica
di critica cinematografica.

Poi, su di lei, calò nuovamente il silenzio. Morì nel 1985.

Un consiglio. Per sapere cos'è una donna, compratevi i
dvd con i due film di Pabst. Dopo, non avrete più nulla da
chiedere.

Lulla

Mirella e Lulla erano sorelle. Lulla aveva ventidue anni,
Mirella venti. Quando la mattina dal villino dei loro genitori scendevano nella spiaggetta fuorimano e pochissimo
frequentata se non dagli abitanti delle case che contornava-
no la piccola insenatura, Mirella trovava ad accoglierla una
comunità di sette-otto giovani innamorati adoranti. Lulla
ne aveva solo due, Gioacchino, un ragazzo tutto peli neri,
tarchiato, dalle gambe arcuate, la fronte alta un dito, praticamente l'anello di congiunzione tra la scimmia e l'uomo, e
il cavaliere Guttadauro, un possidente cinquantenne, con la
pancetta, vedovo senza figli, che non aveva occhi che per lei.
Mirella era bellissima, bionda, alta, slanciata, gambe snelle
e perfette, elegante nel muoversi. Lulla era rossiccia, i seni
pesanti, il busto sproporzionato rispetto alle gambe, cammi-
nava un poco curva in avanti con le braccia troppo lunghe
ciondolanti, caracollando appena, la pelle era costellata in
modo incredibile di nei e di lentiggini.

Naturalmente i corteggiatori di Mirella, meno uno, irridevano i due spasimanti di Lulla e si domandavano cosa ci trovassero in lei.

Gianni invece credeva di capirli. Anche Lulla aveva un suo fascino.

Di mediocre intelligenza ma non stupida, negata alle barzellette e ai doppi sensi, sempre un poco ingrugnata e alquanto sgarbata, era un perfetto esempio di donna primitiva. Certe volte Gianni s'immaginava un amplesso con lei e ne veniva fuori una rappresentazione in un certo senso eccitante che lo riportava indietro nei secoli, fino all'uomo delle caverne.

Si sapeva che ogni tanto Mirella, per noia o per simpatia o per ragioni conosciute solo da lei, s'abbandonava fugacemente a qualcuno dei suoi adoratori scelto a caso, mentre Lulla da questo punto di vista era un baluardo inespugnabile. Per affinità, il suo partner ideale avrebbe dovuto essere il ragazzo dalla fronte bassa e dalle gambe arcuate: tra loro s'intendevano alla perfezione a gesti e a grugniti, ma si raccontava che, ad un approccio più ardito, Lulla l'avesse steso con un cazzotto in faccia. Il cavaliere Guttadauro tentava invece di conquistarla facendole di continuo dei regali, orecchini, braccialetti, collane, che Lulla però non metteva mai.

Con Mirella Gianni credeva d'essere fuori competizione. Fisicamente era uno scheletro ambulante, i ragazzi che la circondavano avevano corpi atletici, davanti a lei si esibivano in corse, lotte, salti, nuotate da campioni olimpionici. Gianni era povero, gli altri erano tutti figli di papà che l'invitavano a cena in ristoranti di lusso.

Un giorno uno dei ragazzi domandò a Gianni, a nome di
suo fratello che non faceva parte della compagnia, se era lui
il vincitore del torneo regionale di scacchi di cui avevano
parlato i giornali e la radio. Gianni assentì. Finalmente Mirella si degnò di lanciargli un'occhiata meno distratta. Però
da quel giorno il suo atteggiamento verso Gianni cambiò.
Ora, quando raccontava di sé nel più religioso silenzio degli
astanti, spesso i suoi occhi cercavano quelli di Gianni come
a chiedere un giudizio su quanto stava dicendo.

La prima a tornare a casa per il pranzo era Lulla, Mirella
la seguiva una decina di minuti dopo col codazzo degli am-
miratori. Un giorno, sulla porta di casa salutò tutti e a Gianni
invece disse:

«Tu resta, ti devo dire una cosa».

"Vuoi vedere che m'ha prescelto per la sua oretta d'amore?" si domandò emozionatissimo Gianni mentre la seguiva.

Lo fece entrare in una specie di anticamera. Chiuse la porta,
sedette accanto a lui sopra un divanetto tanto piccolo che i
loro corpi stavano a stretto contatto. Dio, come odorava la
sua pelle! Poi prese una mano di Gianni tra le sue.

«Mi vuoi bene?»

A Gianni mancò l'aria. Articolò un sì da galletto strozzato.

«Allora, mi devi fare un favore. So che non mi dirai di no.
È una cosa molto delicata. Si tratta di Lulla. Quando aveva
diciotto anni s'innamorò di uno alla follia, quello se ne ap-
profittò e poi scomparve. Da allora Lulla non... capisci? Tu...
tu somigli in un modo impressionante a quel ragazzo di cui
è stata innamorata, sembri suo fratello gemello. Insomma,

ecco, Lulla mi ha detto ieri che ti vuole. Ora, quando s'intesta a volere una cosa e non l'ottiene è capace di fare tragedie come tu non immagini. Una volta che mamma non le ha comprato il vestito che voleva, ha dato fuoco alla casa. Son dovuti correre i pompieri. Perciò ti prego...»

Mentre parlava, Gianni era ripiombato, facendosi un po' male, sulla terra.

«Per amor tuo, questo e altro. Ma che dovrei fare precisamente?»

«Domani invece di stare sulla spiaggia con me, stai con lei.»

«Assieme a Gioacchino e al cavaliere Guttadauro?»

Lei tagliò corto. Avvicinò il viso a quello di Gianni, lo baciò lievemente sulla bocca.

«Allora d'accordo?»

«D'accordo.»

L'indomani Gianni arrivò un po' più tardi. Oltrepassò il gruppo degli adoratori di Mirella e, sotto i loro occhi stupiti, si diresse verso Lulla, una ventina di passi più in là. Più stupiti di tutti rimasero Gioacchino e il cavaliere quando videro che Gianni si distendeva accanto a loro. Lulla invece sembrò non notarlo, si stava pettinando e continuò a farlo.

«Andiamo a farci il bagno?» propose il cavaliere quando la sua adorata ebbe terminato.

«No» disse Lulla. «Vai tu con Gioacchino. Ora. Subito.»

Era un ordine. Senza fiatare, i due si alzarono e andarono a tuffarsi.

Lulla lanciò uno sguardo torvo a Gianni. Che rimase perplesso. Era una manifestazione amorosa? O forse Mi-

rella e i suoi amici gli avevano fatto uno scherzo? Poi Lulla
parlò.

«Ora vado in casa e tu vieni dopo.»

«Ma se in casa ci sono i tuoi...»

«Non c'è nessuno per tutta la mattina.»

Si alzò, dirigendosi a casa. Mirella doveva tenerla d'occhio,
perché si alzò anche lei e, con tutta la comitiva si mise a correre verso il mare. Ottima manovra diversiva. Così nessuno
s'accorse di Gianni mentre raggiungeva il villino.

«Dove sei?» domandò dall'anticamera.

«Qua» rispose lei da lontano. «Sali.»

Il villino era a un piano. Salì. C'erano tre camere da letto,
una delle quali matrimoniale. Lulla era nella sua stanza, l'ultima in fondo al corridoio.

Gianni entrò e sussultò. Aspettandolo, Lulla si era tolta il
costume da bagno. Senza dire una parola, ingrugnatissima,
gli s'avvicinò e gli calò i pantaloncini. Sotto Gianni aveva il
costume.

«Grrr» fece arrabbiata.

A scanso di guai, Gianni se lo tolse precipitosamente. Lei
gli indicò una sedia. Gianni sedette. Lei si distese sulle sue
ginocchia a pancia sotto.

«Contami le papuluzze» disse.

«Che sono?» fece Gianni che non aveva mai sentito quella
parola.

«Queste» rispose indicandogli le lentiggini.

Non c'era un millimetro della sua pelle che non avesse la
sua macchietta rossiccia.

«Ma è un'impresa impossibile!»

«E tu comincia!» ordinò dandogli un pizzico su un polpaccio che lo fece lacrimare.

«Da dove?»

«Da qua» rispose indicandogli un punto sopra la natica sinistra.

Gianni cominciò a contare. Lulla sudava ed emanava un odore tra il muschio e il coniglio selvatico. Arrivato a duecento, cominciò a muoversi sopra di Gianni. A trecento si dimenava. Evidentemente la conta l'eccitava moltissimo. A un tratto non resse più e, emettendo suoni gutturali, balzò in piedi. Poi tutto si svolse come nella fantasia erotica di Gianni, però a parti invertite. Lulla allungò una mano, l'agguantò per i capelli e lo tirò giù dalla sedia facendolo cadere in ginocchio. Quindi lo trascinò, letteralmente, verso il letto. Le mancava solo la clava nell'altra mano. Poi lo fece alzare, lo prese per i fianchi e lo scaraventò sopra il letto. Un secondo dopo era sopra Gianni. Fu violentato e seviziato a lungo. Appena suo malgrado mostrava un qualche segno di stanchezza, un ceffone o un pugno sotto il mento lo richiamavano all'ordine. Oppure gli prendeva la testa tra le mani, la sollevava, la sbatteva due o tre volte contro la testiera di metallo. Il tutto tra grugniti, schiocchi di lingua e mormorii cavernosi.

Poi decise d'averne abbastanza e andò a chiudersi in bagno. Gianni si rivestì precipitosamente e se ne scappò.

Nel pomeriggio telefonò a Mirella. Non lo lasciò parlare.

«Grazie per Lulla» gli disse. «Tu non hai idea quanto...»

«Va bene» l'interruppe Gianni, «ma volevo chiarirti che un secondo trattamento così io non...»

«Allora non hai capito niente! Non ci sarà un secondo trattamento. Lulla ha avuto quello che voleva e le è passata. Domani puoi tranquillamente tornare da me.»

Maria

Recita il detto che il primo amore non si scorda mai. E infatti eccomi qui a ricordarlo. Soavissimo e banale come tutti i primi amori ai quali conferisce valore solo il peso della memoria.

Dovevo ancora compiere quindici anni e avevo vinto i ludi juveniles provinciali per il teatro. Si trattava di una manifestazione fascista, una sorta di eliminatoria tra i ragazzi dei licei e scuole affini per scegliere quelli più preparati in vari campi della cultura e farli partecipare, dopo qualche tempo, ad un concorso nazionale. Il testo da mettere in scena, non scelto da me, era alquanto mediocre, *Le montagne* di Romualdi. Per sostenere il provino, si presentarono una ventina tra studenti e studentesse. Nella maggior parte dei casi la partecipazione non era dettata da amore per il teatro, ma dal fatto che si era esentati dalle faticose adunate del sabato pomeriggio. Le parti da distribuire erano otto, quindi potei scegliere a mio agio. Cominciammo le prove. E subito, per temperamento naturale, si mise in luce Maria, una mia coetanea che veniva dal magistrale, capelli ricci corvini, enormi occhi neri dalle iridi dai riflessi d'ebano, labbra rosse, pronunziate e sensuali. Si muoveva come una gatta e della gatta aveva i riflessi prontissimi e la variabilità d'umore. Me ne innamorai a prima vista. Ma, essendo il regista, dovevo mantenere le distanze. Dopo le prove non si stava mai nemmeno un minuto insieme, ognuno se ne tornava a casa propria, oltretutto eravamo sorvegliati da un'occhiuta ispettrice sempre in divisa. Quando salivo in palcoscenico per fare le mie osservazioni agli attori, evitavo con cura d'incrociare lo sguardo di Maria. Se dovevo dire qualcosa a lei, puntavo a mezzo metro sopra la sua testa. Lei, naturalmente, se ne accorse. Un giorno ci trovammo a percorrere il corridoio venendoci incontro. Continuai a camminare con il viso rivolto al muro, ma la sentii dire:

«Guardami.»

«Oh finalmente!» fece sorridendo quando mi volsi, arrossito, verso di lei.

E proseguì.

Lo spettacolo andò benissimo. Il Federale, che era la più alta autorità politica della provincia, venne a congratularsi e a dirci che la settimana seguente saremmo dovuti recarci a Palermo per la selezione regionale. Le compagnie concorrenti erano otto e la giuria, che avrebbe dovuto scegliere un solo spettacolo da mandare al concorso nazionale a Firenze, veniva da Roma. Noi dovevamo aprire la selezione, avremmo avuto due giorni di tempo per montare le scene e le luci e per le prove. Ci misero a disposizione un pullman per noi e un camioncino per scene e attrezzeria. Partimmo eccitatissimi alle sei del mattino. Io coi tecnici andai subito al teatro Biondo. Ne uscii solo la sera di due giorni dopo, al termine dello spettacolo davanti alla giuria. Ripartimmo per Agrigento alle nove di sera, dopo uno spuntino. Faceva buio. Andai a sedermi da solo nell'ultima fila, quella fatta di quattro posti senza braccioli. Maria stava da sola anche lei nel sedile davanti a me. Dopo dieci minuti che eravamo partiti, la tensione che fino a quel momento ci aveva sorretto ci abbandonò. Lentamente calò il silenzio. Poco appresso l'ispettrice s'addormentò, lo stesso fecero i ragazzi e le ragazze.

Fu allora che Maria si alzò e venne a sedersi accanto a me. Senza parlare, mi strinse una mano nella sua. Viaggiammo per un po' così, coi corpi che si toccavano. Poi, a causa di una curva presa male, lei cadde su di me.

L'abbracciai, la tenni stretta. Temevo che lo stantuffare del mio cuore svegliasse tutti. Lei ricambiò passandomi un braccio dietro la schiena. Abbassai la testa a pochi centimetri dal suo collo.

Mai sentito prima così da vicino l'inebriante odore della pelle di una ragazza. Non capivo più niente, un ronzio alle orecchie, un calore come di febbre. Un attimo prima che ci baciassimo, sospirò profondamente.

Gli storici del cinema dicono che il bacio più lungo sia stato quello del film *Notorious*. Noi unimmo le nostre labbra all'altezza di un paese che si chiama Lercara Friddi e le distaccammo centoventicinque chilometri dopo. Sarà stato un bacio poco esperto, d'accordo, ma comunque un bel record.

Da quel momento facemmo in modo di vederci di nascosto tutti i giorni.

Eravamo innamoratissimi. Ma cominciai a sperimentare la sua gelosia. Non avevo niente da rimproverarmi, eppure Maria riusciva sempre a trovare qualcosa.

«Perché hai tenuto così a lungo la mano di Giovanna mentre la salutavi?»

E mi fulminava con lo sguardo.

Quando era veramente arrabbiata, avevo paura d'incontrare i suoi occhi. Erano specchi ustori.

Un giorno arrivò la notizia che avevamo vinto la selezione regionale. E quindi saremmo andati a Firenze per il raduno internazionale della gioventù fascista nell'ambito del quale si sarebbe svolto il concorso finale.

A Firenze trovammo ragazzi e ragazze venuti dalla Spagna, dal Portogallo, dalla Francia, dalla Croazia, dalla Germania, dalla Romania, dall'Ungheria e persino dal Giappone. Noi italiani dormivamo in grandi tende allestite al parco delle Cascine, le ragazze in scuole trasformate in dormitori. Le riunioni, le prove, le esibizioni si svolgevano in genere la mattina, il pomeriggio era dedicato alla libera socializzazione.

Credo che non ci sia stato portone di Firenze che non ci abbia ospitato per un bacio più o meno lungo ma sempre più esperto ed appassionato. Le nostre carezze si fecero, come dire, adulte, a un tempo consapevoli ed esplorative, ma non osammo spingerci oltre.

In quei giorni la gelosia di Maria sfiorò il parossismo, anche perché ogni tanto, incautamente, guardavo di sfuggita qualche bella fräulein o señorita. Un giorno una ragazza ungherese molto carina ci fermò per chiederci qualcosa che non capimmo. Ebbi un'ispirazione e le domandai, in latino, se studiava il latino. Rispose di sì. Così io e la ragazza potemmo capirci e lei ebbe l'informazione che voleva. Quando restammo soli, Maria mi morse a sangue un dito. Un'altra volta mi pestò un piede con tanta forza che zoppicai per tutto il mattino seguente.

Il nostro amore finì per cause di forza maggiore. Dopo pochi giorni che eravamo tornati da Firenze si ammalò. Lei era di un paese della provincia, ad Agrigento abitava in casa di una zia. I suoi vennero a prenderla. Mi mandò qualche cartolina da Palermo, dalla clinica dove l'avevano ricoverata. "Saluti e baci. Maria."

Non la rividi più.

Molti e molti, forse troppi anni dopo, incontrai un'amica comune di quei tempi. Le domandai notizie di Maria. Mi rispose che ogni tanto s'incontravano, che stava bene, che si era sposata e che aveva tre figli.

«Te la saluterò» mi promise.

Marika

Nel mio paese, pochi mesi prima della nostra entrata in guerra, cioè nel 1940, nel tentativo di battere la concorrenza del caffè Castiglione, inarrivabile per i suoi gelati, il signor Ruoppolo, proprietario dell'omonimo caffè che anch'esso stava sul corso, ebbe un'idea rivoluzionaria. Fece venire da Trieste una bella e prosperosa ragazza ventenne dai capelli rossi e la mise dietro il bancone a far da barista. La ragazza indossava un camice bianco con generosa scollatura ed era più che evidente che sotto non portava indumenti intimi. L'idea e la, diciamo così, divisa, incontrarono un entusiastico successo. In breve, tutti i giovani del paese, ma anche signori di mezza età sposati e con figli, emigrarono dal caffè Castiglione al grido di Viva Trieste italiana.

La rossa però passò come una stella cadente. Dopo appena sei mesi si fidanzò con un sottufficiale della Marina e andò a vivere con lui. Gli emigranti, delusi, tornarono in patria. Il signor Ruoppolo resistette fino alle feste natalizie, poi, considerato il drammatico calo di vendite, decise di correre ai ripari e fece venire, sempre da Trieste, un'altra ragazza.

Si chiamava Marika ed era biondissima, bianca di pelle, alta, gentile, un po', ma solo un po', meno formosa della rossa, ma dotata di curve morbide e "cantanti", come ebbe a definirle il ragioniere Principato. Il caffè Ruoppolo tornò ad affollarsi non solo di paesani, ma anche di marinai e ufficiali delle navi da guerra che stazionavano nel porto.

Marika aveva ereditato l'appartamentino al piano terra già abitato dalla rossa e che era di proprietà del signor Ruoppolo. Il servizio durava fino a mezzanotte. Serviti gli ultimi clienti, la ragazza, abbassata la saracinesca, andava a lavarsi, a togliersi il camice e a mettersi i suoi vestiti in uno stanzone nel retro adibito a deposito, poi chiudeva la saracinesca a chiave e se ne tornava a casa. Naturalmente, durante il percorso, sbucavano dall'oscurità pretendenti a titolo vario, c'era chi le chiedeva di passare tutta la vita insieme e chi invece solo una notte.

Però Marika, sempre gentile e con un gran sorriso, diceva a tutti di no.

Renzino, non ancora sedicenne, era impazzito per lei. Non avrebbe mai trovato il coraggio di farle delle proposte e, anche se gliele avesse fatte, Marika gli avrebbe riso in faccia. Non era ancora mai stato con una donna, e il desiderio di Marika era tale che gli impediva di dormire.

La mattina andava a scuola, il pomeriggio praticamente lo consumava incollato al bancone, a bere gazzose e a vederla muoversi. Lei ogni tanto lo guardava e gli sorrideva, aveva benissimo capito quello che gli passava per la testa, ma di sé non poteva offrirgli altro che quel sorriso. Una sorta di premio di fedeltà.

Poi in paese si seppe che Marika era diventata l'amante del dottor Sciacca, fattosi ricco per via di matrimonio. La moglie Ernestina era decisamente brutta e gelosissima, ma la sua dote era stata milionaria. Perciò il dottore, per andare a trovare Marika, doveva prendere accurate precauzioni e inventarsi parti improvvisi e attacchi di cuore inattesi per trascorrere qualche ora notturna fuori casa.

I pretendenti che sbucavano dall'ombra sparirono, Renzino invece rimase imperterrito saldato al bancone. E Marika lo ricompensava con un sorriso.

Poi un giorno un piano preciso cominciò a delinearsi nel cervello di Renzino. Un piano arditissimo che solo l'incontenibile desiderio di lei poteva fargli concepire.

Una sera finse di andare in bagno, che si trovava nel retro, e invece entrò nello stanzone-deposito. Andò a guardare la finestra. Era abbastanza ampia, ci sarebbe potuto passare. Vide i vestiti di Marika ordinatamente disposti sopra una sedia vicina a un grande lavello. Tornò al bancone.

Quindi, dieci minuti prima della chiusura, salutò Marika e finse di andare di nuovo in bagno. Entrò invece nello stanzone orientandosi con una pila che si era portata appresso, si nascose dietro alcuni sacchi di caffè e si mise ad aspettare.

Il suo piano era di vedere Marika spogliarsi nuda, lavarsi e rivestirsi. Gli sarebbe bastato almeno questo. Era affamato di lei. Quando poi Marika avrebbe chiuso a chiave la saracinesca, se ne sarebbe uscito dal caffè saltando dalla finestra che si apriva su un vicolo sempre deserto.

Dopo circa un quarto d'ora la luce dello stanzone venne accesa e Marika entrò.

Si levò il camice e così Renzino finalmente poté vederla nuda. La sua pelle bianchissima splendeva luminosa via via che la lavava. Lui la vedeva di schiena ed era un gran bel vedere, era inzuppato di sudore, di certo aveva la febbre, poi a un tratto Marika si voltò e si mosse per prendere l'asciugami appeso a un chiodo. A vederla di fronte, Renzino ebbe come una vertigine. I suoi capezzoli erano poli magnetici d'attrazione cosmica.

Non capì più niente. Si mosse a quattro zampe, così come stava dietro i sacchi, e prese ad avanzare verso di lei, mugolando e gemendo.

Marika s'immobilizzò, spaventata, la bocca aperta, l'asciugamani le cadde per terra.

Renzino continuò ad avanzare a quattro zampe, arrivò alla sua altezza, si drizzò un poco, allungò il collo, le baciò l'ombelico.

Un impeto di pietà travolse Marika. Si chinò, lo prese per le braccia, lo fece alzare, l'abbracciò.

«Poverino, poverino» gli sussurrò.

Renzino non si accorse che stava piangendo. Lo capì quando lei gli asciugò gli occhi con le mani.

«Non fare così, poverino.»

Renzino tremava, non riusciva a parlare. Lei gli toccò la fronte e prese una rapida decisione.

«Stasera non posso, ma domani sì. Vienimi a trovare. Aspetta.»

Andò vicino alla sedia, prese la borsetta, l'aprì, ne estrasse una chiave, gliela diede.

«Questa è una copia della chiave di casa mia. Tu, domani, cinque minuti prima di mezzanotte, apri ed entri senza farti vedere da nessuno. Aspettami. Non accendere la luce.»

L'aiutò ad uscire dalla finestra. Da solo, nelle condizioni in cui si trovava, Renzino non ce l'avrebbe mai fatta.

Tutto andò come previsto.

La notte dopo, Marika, con una dolcezza infinita gli fece superare il batticuore, il tremore e l'inesperienza.

L'indomani pomeriggio, al caffè, Renzino le portò un gran mazzo di rose.

E pur se non le domandò mai più d'andarla a trovare, anche perché sapeva che gli avrebbe detto di no, a lungo ogni pomeriggio Renzino passò dal caffè a bersi una gazzosa al bancone mentre lei, ogni tanto, gli sorrideva.

Nefertiti

Nefertiti risorta s'intitolava un romanzo che lessi da adolescente e del quale ho dimenticato l'autore.

Ricordo confusamente la trama. Narrava, mi pare, della regina egiziana, il cui nome significa "la bellezza che è arrivata", la quale, essendo dotata di poteri soprannaturali perché figlia del dio Sole, s'incarnava in una donna dei nostri tempi facendo innamorare perdutamente di sé tutti gli uomini che incontrava. Combinava una gran quantità di disastri matrimoniali, poi cadeva lei stessa vittima di un amore non ricambiato e allora, per una sorta di patto ultraterreno, tornava ad essere una mummia. Lo credetti un romanzo di pura fantasia, poi appresi che Nefertiti, la bellissima, era esistita davvero.

Confesso che quando vidi il suo ritratto scultoreo conservato al museo del Cairo mi sentii mancare il fiato e rimasi fermo davanti ad esso per una buona mezzora, ipnotizzato, affascinato.

Perché quel volto non è solamente lo splendido ritratto di Nefertiti, è il simbolo stesso della Bellezza eterna e suprema della donna, immutata nei secoli.

È un volto infatti che sorprende per la sua "modernità", ha persino una certa somiglianza con Greta Garbo.

Gli studiosi di storia egizia non possono che fare ipotesi e supposizioni sugli accadimenti della sua vita. Alcuni la vogliono a un certo momento caduta in disgrazia per aver cospirato contro il faraone, altri invece sostengono che condivise il potere con il marito, ne fu l'ispiratrice delle riforme religiose e amministrative e, addirittura, alla morte di lui sedette da sola in trono.

Una cosa è comunque certa: che non era di nobili natali, altrimenti nei papiri si sarebbero trovate tracce delle sue ascendenze. Molto probabilmente era figlia di un alto dignitario di corte.

Il faraone Akhenaton la vide, ne fu preso e se la sposò.

Penso però che la cosa sia stata più facile a dirsi che a farsi.

Il faraone era un monarca assoluto, la sua volontà non conosceva né ostacoli né limiti, aveva poteri di vita e di morte sui sudditi. Eppure anche un faraone aveva delle regole che dovevano essere assolutamente rispettate e, tra queste, non credo fosse ammesso il matrimonio tra un faraone e una donna non di nobilissima stirpe, una borghesuccia qualunque, diremmo ai nostri giorni.

Ma se perfino il successore al trono d'Inghilterra, negli anni tra il 1930 e il 1940, per impalmare l'americana signora Simpson, di comuni natali, dovette rinunziare al trono!

Penso, ma lo penso da romanziere, senza nessuna suffragazione storica, che Akhenaton, per risolvere il problema, sia ricorso a un intelligente stratagemma: far circolare cioè la voce che una bellezza come quella di Nefertiti non potesse essere che d'origine ultraterrena.

Da lì, a farla diventare figlia del dio Sole e dal sole arrivata in terra a miracol mostrare, il passo è breve. E allora non solo il problema era risolto, ma addirittura le auspicate nozze con una divinità avrebbero senz'altro accresciuto il potere dello sposo.

Dopo il matrimonio, è a Nefertiti che viene assegnato il compito di celebrare la cerimonia dell'omaggio al sole, e non al sovrano, cui spettava di diritto.

In un dipinto sono rappresentati il faraone, Nefertiti e la loro figlia durante il rito di adorazione al sole, generatore di vita. Nefertiti tiene alto tra le mani un vassoio sul quale c'è una statuetta che rappresenta lei stessa in preghiera, a simboleggiare la sua natura semidivina.

È certo anche che Akhenaton l'amò come lei meritava.

Esistono numerose raffigurazioni della coppia in atteggiamenti affettuosi (equivalgono agli scatti dei nostri paparazzi) e in una il faraone bacia teneramente in pubblico la moglie.

Nel sarcofago che avrebbe dovuto accogliere la sua mummia, il faraone volle che le usuali immagini delle quattro divinità protettrici poste ai quattro angoli fossero sostituite con immagini della sola Nefertiti.

Della "signora della felicità, dal volto luminoso, grande nell'amore", come la definisce una stele, esiste un secondo ritratto conservato all'Aegyptisches Museum di Berlino.

In realtà si tratta di un abbozzo non finito dovuto allo scultore Thutmosi, ma la bellezza di Nefertiti non è in tutto

e per tutto simile a quella dell'altro ritratto. E ciò non è dovuto alla diversità stilistica tra l'ignoto scultore del ritratto
del Cairo e Thutmosi.

Il perché è stato recentemente scoperto dopo aver sottopo-
sto l'opera all'esame dei raggi X, che ha rivelato come il volto
di Nefertiti abbia delle piccole rughe scolpite, soprattutto
intorno agli occhi.

Quindi Nefertiti posò per Thutmosi quando non era più
tanto giovane e volle che la sua immagine di donna fosse
reale, com'era in quel momento, non idealizzata.

Se le cose stanno veramente così, allora bisogna arrivare alla
conclusione che Nefertiti non ha solo incarnato la Bellezza
suprema, ma anche la Saggezza suprema.

Forse, a guardarlo bene, il lieve sorriso che aleggia sulle
labbra del ritratto del Cairo è meno enigmatico di quanto
possa apparire.

È il sorriso della consapevolezza.

Di quanto quella bellezza che lo scultore sta cercando di
fermare per l'eternità sia una fuggevole illusione.

Quelle piccole rughe attorno agli occhi, da lei non fatte
cancellare perché c'erano, sono un grandissimo insegnamen-
to a tutte le donne che temono d'invecchiare e ricorrono al
deturpante botulino.

Quelle piccole rughe ci fanno innamorare ancora di più
di Nefertiti che sapeva d'essere la bellezza che era arrivata
ma anche, per l'inesorabilità della natura, la bellezza che se
ne sarebbe andata.

Ninetta

Il suo nome non è mai comparso sui giornali, la sua storia non ha mai fatto notizia, i tratti del suo volto risultano poco leggibili in una sbiadita fotografia. È stata una donna assolutamente anonima, che nel 1925 era una bella ragazza diciassettenne.

Della sua vita non so quasi nulla, conosco solo quello che racconterò.

E che, a parer mio, merita di essere raccontato.

Abitava con la famiglia in un paesone agricolo all'interno della Sicilia, i suoi genitori possedevano un pezzetto di terra e vivevano stentatamente coi proventi di essa. Ninetta li aiutava. Era la loro unica figlia.

Ogni giorno la ragazza vedeva passare dalla trazzera che costeggiava un lato del campo, un contadino ventunenne, che si chiamava Giacomo, il quale con la sua mula si recava in paese a vendere frutta, verdura e uova fresche.

Il padre di Giacomo era morto anni prima e a badare alla masseria e alla madre inferma erano rimasti lui e Giuseppe, che era suo fratello maggiore di sei anni.

Giacomo passava quindi due volte, al mattino presto e al ritorno, sempre poco dopo mezzogiorno. E ogni volta, se Ninetta era nel campo, il suo sguardo si posava insistente su di lei.

A Ninetta quel giovane, che sapeva onesto e lavoratore, piaceva assai, ma, com'era giusto, faceva finta di niente e continuava a lavorare la terra senza alzare la testa.

Poi, in un giorno di festa, capitò che si venissero a trovare faccia a faccia sulla porta della chiesa. Fu inevitabile guardarsi.

Si parlarono solo con gli occhi. S'intesero. Si scambiarono una promessa solenne. Fu un lungo dialogo segreto che durò un attimo.

Ora Ninetta, quando Giacomo passava dalla trazzera, sollevava la testa e ricambiava il suo sguardo.

Il paese all'epoca era assoggettato al caporione dei fascisti, Anselmo, squadrista manganellatore, un uomo prepotente e violento che dettava legge anche alle autorità locali.

Anselmo possedeva una masseria che confinava con quella dei due fratelli e non mancava occasione per far loro angherie e soprusi. Una volta aveva incorporato al suo terreno, spostando nottetempo il filo spinato che segnava il confine, quattro magnifici alberi da frutto; un'altra volta, al mercato del bestiame, aveva preteso che un asino, già venduto ai fratelli, venisse restituito al venditore per comprarselo poco dopo lui a un prezzo inferiore...

Ce l'aveva in special modo con Giuseppe perché questi era stato, per un certo periodo, segretario della sezione socialista. Giacomo invece non si era mai occupato di politica.

Da tempi immemorabili un piccolo corso d'acqua veniva usato dai contadini per irrigare i loro orti, seguendo orari e regole che venivano rispettati da tutti. Ma un brutto giorno l'acqua non arrivò più nel campo dei fratelli.

Giuseppe volle rendersi conto del perché e venne a scoprire che Anselmo aveva fatto mettere a monte del ruscelletto una specie di chiusa di cui possedeva la chiave d'apertura. Così chi voleva l'acqua doveva domandarla a lui pagando una certa somma.

Era un'evidente illegalità, l'acqua era pubblica, eppure Giuseppe fu il solo che andò a protestare dal Podestà, così erano chiamati i sindaci durante il fascismo. Quello, che aveva ricevuto la nomina di primo cittadino proprio per volere di Anselmo, consigliò a Giuseppe di starsene buono e di subire.

Ma Giuseppe non aveva nessuna intenzione di piegarsi. E così una mattina, insieme al fratello minore, andò a trovare Anselmo per convincerlo alla ragione.

Ben presto però la discussione tra i due degenerò in una vera rissa alla presenza di alcuni contadini che non osavano intervenire. Poi, a un tratto, Anselmo estrasse un coltello a serramanico e colpì diverse volte Giuseppe, uccidendolo.

Giacomo, che stava correndo in soccorso del fratello, venne fermato e picchiato brutalmente da due dipendenti di Anselmo.

Al processo l'avvocato difensore dell'omicida ribaltò la verità dei fatti. Sostenne che Anselmo aveva agito per legittima difesa, perché Giuseppe l'aveva aggredito impugnando una roncola. I contadini e i dipendenti di Anselmo, che erano presenti, concordemente confermarono la versione dell'avvocato. Giacomo non venne neppure ascoltato. Anselmo fu rimesso in libertà.

Tre giorni dopo Giacomo andò in paese con la mula, che però non aveva il solito carico di frutta e ortaggi. E fece una cosa inconsueta. Scese dalla mula e s'avvicino al muretto a secco che recingeva il campo di Ninetta.

La ragazza lasciò la zappa e si mosse verso di lui.

Come quella volta sulla porta della chiesa, si parlarono con gli occhi.

Poi Giacomo rimontò in sella, arrivò sulla piazza del paese, smontò, legò la mula a un albero, si diresse lentamente verso i tavoli all'aperto del caffè principale. Ad uno di questi sedeva, com'era sua abitudine, Anselmo con due o tre camerati. Giacomo estrasse il revolver e gli esplose contro l'intero caricatore.

Al processo, il procuratore chiese la pena di morte, sostenendo la tesi del delitto politico. I giurati non l'accolsero, lo condannarono all'ergastolo.

Dal giorno stesso dell'uccisione di Anselmo, Ninetta si prese cura della madre di Giacomo, trovò un uomo fidato che badava alla masseria e si divise in due lavorando da mattina a sera nel suo campo e in quello di Giacomo. Si spaccava la schiena, mettendo accuratamente da parte il ricavato che spettava a Giacomo. Non la sentirono mai lamentarsi.

Rifiutava tutti i pretendenti. Continuò a rifiutarli anche quando restò sola, essendo morti nel corso degli anni i suoi genitori e anche la madre di Giacomo.

Venne la guerra, cadde il fascismo, il tempo passò.

Nel 1959, Ninetta era ormai una matura zitella, quando un giovane avvocato del paese cominciò a promuovere una campagna per far ottenere la grazia a Giacomo che aveva ormai scontato trentacinque anni di carcere. Ci riuscì. Giacomo venne rimesso in libertà due anni dopo, nel 1961.

Davanti alla porta del carcere trovò Ninetta che l'aspettava.

Si scambiarono un sorriso.

L'anno seguente Ninetta e Giacomo poterono finalmente sposarsi.

Tutto qui.

Nunzia

Il mezzadro di mio nonno aveva due figli, un maschio, Gerlando, ma per tutti Giugiù, e una femmina, Assunta, ma per tutti Sunta.

Quando io avevo una diecina d'anni, era il periodo in cui me ne andavo a stare in campagna dai nonni appena si chiudevano le scuole, Giugiù, prima di partire come marinaio per la guerra d'Etiopia a bordo di una torpediniera, si sposò con una lontana parente che si chiamava Nunzia.

La quale, partito il marito, se ne venne a vivere coi suoceri nella casetta che nonno aveva dato in dotazione al mezzadro.

La prima volta che la vidi quando venne a presentarsi ai nonni mi sembrò un'abissina, tanto era scura di pelle. Invece era stato il sole a cuocerla così, questo lo capii un poco più tardi, quando diventai suo amico e conobbi le sue abitudini. Era una ventenne dal corpo sodo, capelli a crocchia, gambe un po' grosse, labbra pronunciate, il vestitino estivo che la fasciava sembrava dovesse squarciarsi da un momento all'altro.

Io ero capace di vagabondare per ore per la campagna sotto il sole a picco tirandomi appresso una capretta girgentana che avevo chiamato Beba.

Un giorno che il sole era particolarmente feroce, Beba mi fece capire che aveva urgente bisogno di bere. La condussi alla gebbia, che era una grandissima vasca circolare in cemento, seminterrata, dove veniva raccolta l'acqua per l'agrumeto. Attorno alla gebbia c'era un fitto canneto. Sentii un respiro ansante e mi fermai, scostando un poco le canne per guardare.

Sul bordo della gebbia c'era distesa Nunzia nuda e sopra di lei ci stava Saro, il guardiano dell'agrumeto, che non capii cosa le stesse facendo.

Decisi di non disturbare e feci un lungo giro prima di tornare nuovamente alla gebbia. Saro non c'era più, Nunzia invece si era infilata dentro l'acqua che le arrivava al collo. M'invitò a spogliarmi e a raggiungerla, ma mi vergognai. L'indomani, passando dall'uliveto, mi sentii chiamare. Mi guardai intorno, non c'era nessuno. Poi udii una risata provenire da sopra la mia testa. Alzai gli occhi. Nunzia stava seduta su uno dei rami di un olivo saraceno. Aveva una pezza intorno al seno e un'altra tra le gambe.

«Acchiana.»

Lasciai libera Beba, m'arrampicai. Quando le fui seduto accanto, le domandai perché si fosse arrampicata.

«Accussì.»

Invece si stava mangiando le piccole uova di un nido d' non so quale uccello. Le chiesi cosa le stesse facendo Saro il giorno prima. Si mise a ridere. Aveva denti d'animale carnivoro.

«Mi faciva 'na cosa bella che a mia piaci assà. E quanno l'òmini me la vonno fari, io me la lasso fari. Però tu non lo devi diri a nisciuno.»

Non lo dissi a nessuno e diventai suo complice.

Dalla gebbia si partiva una specie di galleria che portava alla sorgente. Una volta che mi trovavo già lì, arrivò con un contadino che ogni tanto veniva a lavorare da noi e s'infilò con lui nella galleria. Ma prima mi raccomandò:

«Se mi venno a circari, non diri che mi hai viduta».

Dopo una mezzora il contadino se ne uscì e se ne andò senza nemmeno guardarmi. Nunzia venne fuori poco dopo. Aveva gli occhi luccicanti, il sorriso soddisfatto, il petto ancora ansante. Mi sembrò assai più bella e glielo dissi.

«Mi giova» fece sedendosi.

A un tratto le vidi fare una cosa incredibile. S'irrigidì, guardando verso il canneto. Poi scattò come una freccia, volò, atterrò a pancia sotto. Si rialzò tenendo nella mano destra un lungo serpente, un verdone, che sapevo essere innocuo. Il serpente le si era arrotolato lungo il braccio.

Lei infilò la mano sinistra nella tasca del vestito, ne tirò fuori il coltello che portava sempre con sé, l'aprì coi denti e decapitò il serpente. Quindi si sedette di nuovo vicino a me, lo tagliò a pezzetti, me ne offrì uno. Scossi la testa, disgustato. Allora se lo portò alla bocca e mugolò masticando:

«Si sapissi quant'è bono!».

Poi non l'incontrai più. Ne domandai alla nonna che mi rispose che si era ammalata. Io ne diedi la colpa al serpente che si era mangiato. Ma una mattina sentii il nonno parlare di Nunzia con suo figlio Massimo che era stato assente per una diecina di giorni.

Il mezzadro era venuto a sapere che la nuora s'incontrava spesso e volentieri con Saro, l'aveva tenuta d'occhio e finalmente l'aveva sorpresa sul fatto. Aveva preteso che nonno licenziasse Saro e ora teneva Nunzia chiusa a chiave in una stanzetta a piano terra.

«È 'na cagna e va trattata comu a 'na cagna» aveva detto il mezzadro.

Sapevo qual era la stanzetta. E così, un giorno che nella casa del mezzadro non c'era nessuno, decisi di andare a vedere Nunzia. La stanzetta era dotata di una piccola finestra con le sbarre. Feci un cumulo di pietre, ci salii sopra, arrivai all'altezza della finestrella. Le ante erano accostate, non riuscivo a vedere dentro. Allora la chiamai. Mi rispose immediatamente.

«Ah tu sì? Non ti pozzo rapriri.»

«E pirchì?»

«Pirchì sugno attaccata.»

Riuscii, infilando la mano tra le sbarre, a spalancare la finestra. Nunzia era in piedi, in mezzo alla stanzetta, ma non poteva muovere un passo oltre. Aveva un collare dal quale si partiva una corta catena il cui ultimo anello era infilato dentro un grosso chiodo a ferro di cavallo infisso nel muro.

Mi sorrise. Non mi sembrò che stesse soffrendo. Ma io non ressi e me ne scappai piangendo. Poi le scuole si riaprirono. Arrivarono le vacanze di Natale. I nonni erano tornati in paese. Ma io avevo voglia di sapere di Nunzia e così la mattina della Befana, essendo venuto a farci visita il mezzadro con moglie e figlia, mi precipitai in campagna e mi fermai solo quando arrivai davanti alla stanzetta di Nunzia. La chiamai. Nessuna risposta. Allora mi misi a correre gridando il suo nome. A un tratto mi sentii rispondere.

«Ccà sugno.»

Stava nel vigneto, il terreno era stato zappato di fresco. Lei aveva appena finito di scavare una larga buca con le mani. Aveva una pancia enorme.

«Che ti successi?»

«Mi sta nascenno.»

Feci per andarmene. Lei mi fermò prendendomi per la mano. Si accovacciò nella buca. Io tenevo lo sguardo fisso da un'altra parte. Il cuore in gola. Sapevo cosa stava succedendo, avevo visto nascere i capretti di Beba. Poi Nunzia cominciò a gemere, a emettere grida soffocate. Mi stringeva forte la mano, me la contorceva da farmi male.

Ma ero fiero, mi sentivo diventare uomo.

Poi udii la creatura piangere.

Solo allora mi voltai a guardare.

«Mascolo è» disse Nunzia. «E ci darò lo stisso nomi tò.»

Ofelia

Non ho mai saputo il suo vero nome, ma fu così che mi venne immediatamente di chiamarla dentro di me appena mi comparve davanti alle prime luci dell'alba di un mattino di metà luglio del 1943.

Era da tre giorni che dalla base navale di Augusta, in Sicilia, tentavo di raggiungere Serradifalco, una località dell'interno dove parte della mia famiglia si era rifugiata per sfuggire ai bombardamenti aerei degli Alleati che notte e giorno martellavano il mio paese sulla costa meridionale.

Ero stato chiamato alle armi il primo di luglio. Non c'erano divise, restai vestito coi miei abiti borghesi, pantaloni corti, camicia e sandali, mi diedero solo una fascia da mettere attorno al braccio sinistro sopra alla quale c'era scritto CREM, che significava Corpo Reale Equipaggi Marittimi. Ma ero destinato ad essere un *marinero en tierra*, non c'erano navi sulle quali imbarcarmi. Così, assieme ad altri finti marinai come me, venni impiegato a spalare macerie e a tirar fuori cadaveri. In dotazione io avevo una pala e una borraccia d'acqua che si svuotava dopo poche ore di lavoro.

Dormivamo in una specie di rifugio su letti a castello. La sera ci abbandonavamo su quei giacigli senza nemmeno toglierci le scarpe, abbrutiti dalla stanchezza, e giacevamo sprofondati in un sonno animale.

Alle quattro del mattino del 10 luglio un compagno mi svegliò e mi comunicò che gli Alleati stavano sbarcando tra Gela e Licata. Fui subito lucidissimo. Mi alzai, misi in un fagotto la poca roba di ricambio che avevo, presi la borraccia, uscii dal rifugio, mi tolsi la fascia, la gettai dietro un cespuglio, domandai un passaggio a un camion militare italiano diretto a Messina, mentre Augusta ribolliva sotto un massiccio bombardamento aereo e navale.

Iniziai così un viaggio infernale, inutile dire che il camion, poco dopo Catania non poté proseguire avariato da uno spezzone e io continuai anche in sidecar, a piedi, in automobile, con la colonna sonora ininterrotta degli aerei che mitragliavano qualsiasi cosa si muovesse.

Arrivato, non so ancora come, alle prime case di Palermo che era già sera, vidi un camion del nostro esercito fermo al centro di una piazzetta non lontano da una caserma che sembrava vuota, ma la guardia armata nella garitta dimostrava il contrario.

Dentro la cabina c'era un militare, un caporale, al posto di guida.

M'avvicinai, gli domandai se per caso fosse in partenza e se mi poteva dare un passaggio verso l'interno. Era un bolognese quarantenne, cordiale. Mi rispose che l'indomani mattina, sul far del giorno, sarebbe dovuto partire per San Cataldo con un plotone di militari. Sentii improvvise campane a festa esplodermi nel cuore. Da San Cataldo a Serradifalco c'erano pochi chilometri, avrei potuto farcela a piedi. Poi mi disse che lui ora se ne sarebbe andato a trascorrere la notte in casa d'amici e che, se volevo, potevo salire nella cabina e dormirci. Non si può dire che regnassero ordine e disciplina, in quei giorni. Moltissimi anzi, siciliani come me, avevano disertato.

Ero riuscito a farmi dare da un contadino, in mattinata, un pugno di fave secche e delle carrube. Le avevo razionate e così, consumata la quota serale e bevuto un sorso d'acqua, mi predisposi al sonno. La porta della caserma era chiusa, il soldato di guardia non c'era più. Nella piazzetta avevo visto passare solo un vecchio claudicante. Quella cabina m'era sembrata, appena ci ero entrato, accogliente e riposante, ed era tutta per me, come la camera di un albergo di lusso. Ma vi faceva molto caldo, anche se i vetri erano abbassati.

Il bombardamento mi svegliò terrorizzandomi. C'era la luce violetta della prim'alba. Gli aerei dovevano volare a bassa quota, ne sentivo il rumore malgrado il fracasso assordante della contraerea. Le bombe cadevano vicinissime, due o tre fecero violentemente sussultare il camion. Vedevo vampate e fiamme dietro le case che circondavano la piazza. Ero incapace di muovermi, ma anche se lo fossi stato, dove sarei potuto scappare?

Poi non vidi più niente, si era alzata come una nebbia

bianca che copriva ogni cosa, il vetro sembrava appannato ma non lo era. Pochi secondi dopo tutto finì. Sentivo sirene d'ambulanze, clacson di macchine. Nessuna voce umana. Il portone della caserma restava chiuso.

All'improvviso si levò il venticello del mattino e alleggerì la coltre bianca.

Fu allora che vidi avanzare, da una strada alla mia sinistra verso il camion dove mi trovavo, qualcosa, una sagoma che non decifrai, un pezzo di stoffa più bianca della nebbia che lo circondava, un lenzuolo sospinto dal vento, oppure un essere umano vestito di una lunga camicia. Mi sporsi dal finestrino per guardare, sforzando al massimo i miei occhi miopi. Intanto quella figura indistinta era ancora avanzata e d'un tratto, come liberandosi dall'ultima nebbia che ancora l'imprigionava, emerse per intero. Un brivido mi corse lungo la schiena. Era una ragazza giovanissima, scalza, in camicia da notte, la testa piegata a guardare una sorta di fagotto tenuto fra le braccia. Certamente un neonato. Appena entrò nella piazzetta, sopraggiunse velocissima un'auto, la sfiorò, continuò la sua corsa. Mi resi subito conto che lei non si era accorta di nulla, non aveva fatto un gesto, niente. Forse era cieca? Ma pure un cieco, a sentirsi sfiorare dalla morte, avrebbe...

Saltai giù, le corsi incontro. Quando le fui davanti e aprii la bocca per parlarle, mi resi conto di due cose. La prima era che non mi vedeva, anche se non era cieca. E la seconda era che stava cantando a bassa voce una ninnananna alla bambola di pezza che teneva in braccio amorevolmente.

E dalaloo...
E dalaleddra...
Lu lupu si mangiò
la picoreddra...

«Come ti chiami?»

Non dovette nemmeno sentire la domanda. Stava immobile perché avvertiva l'ostacolo rappresentato da me; se mi fossi scansato, avrebbe ripreso a camminare in avanti come un automa. Allora arretrai di due passi e lei avanzò. E così riuscii a condurla fino al camion, poi, spingendola per le spalle, la feci salire in cabina. Svitai il tappo della borraccia e gliela porsi. Non si mosse. Allora gliela portai alle labbra. Bevve qualche sorso.

«Ti senti meglio?»

Non mi rispose. Strinse al petto la bambola e riprese a neniare. Non sapevo che fare. Era una bella ragazza, poteva avere al massimo diciassette anni, e m'imbarazzavo a guardarla perché sotto la camicia da notte non indossava nulla. Temevo e a un tempo desideravo l'arrivo del conducente bolognese. La ragazza, questo mi pareva ragionevolmente certo, doveva essere in preda allo shock in seguito al bombardamento della sua abitazione. Forse, pensai, un atto violento l'avrebbe aiutata a tornare alla normalità. Con un gesto rapido, le strappai la bambola dalle braccia, gliela gettai ai piedi. Lei non ebbe nemmeno il tempo di fare resistenza, ma si abbandonò a un pianto infantile sconsolato, desolato, straziante. Grosse lacrime le colavano sulle gote, i singhiozzi le scuotevano le spalle, tirava su col naso, ma un po' di moccico le restava sul labbro, le mani lasciate cadere inerti sul grembo. Non si chinò a raccogliere la bambola, forse non la vedeva. Mi sentii invadere da una pietà devastante.

«Non fare così, te la ridò, la tua bambola!» urlai.

Mi chinai per prenderla. Ma appena la mia testa fu all'altezza del suo petto, di scatto me la strinse tra le mani, se l'accostò ai seni e cominciò a cullarmela riprendendo a sussurrare la ninnananna.

Chiusi gli occhi e m'abbandonai. Quella ninnananna me l'aveva cantata tante volte mia madre per addormentarmi... Per qualche minuto Ofelia compì il miracolo. Niente più guerra, niente più morte e distruzione, un gran silenzio, una gran pace dentro la quale lentamente si scioglievano paure e affanni, orrori e angosce... M'accorsi di stare piangendo un pianto liberatorio.

«Che succede qua?» domandò il bolognese.

Prima di rispondergli, recuperai la bambola, la rimisi tra le braccia d'Ofelia. Poi scesi dalla cabina e gli raccontai tutto.

Il bolognese non ebbe un momento d'esitazione.

«A pochi passi da qui c'è un convento di suore. Sbrighiamoci.»

Ma Ofelia non voleva più scendere dalla cabina. Alle mie insistenze a un tratto disse decisa:

«Tu».

E allungò una mano. La presi, me la strinse forte e così la guidai fuori dalla cabina. C'incamminammo. Lei con una mano teneva la mia e con l'altra stringeva la bambola. Il bolognese suonò alla porta del convento. Ci aprirono due suore. Spiegai alla più anziana quello che era successo.

«Ce ne occuperemo noi.»

Ma Ofelia non voleva lasciarmi la mano. Fu la suora a convincerla, sussurrandole non so cosa all'orecchio. Continuai a seguirla con gli occhi mentre percorreva un lungo corridoio scortata dalla suora anziana. Prima di svoltare l'angolo si fermò, si voltò, mi guardò. Ebbi l'impressione che m'avesse sorriso.

Quando tornammo alla piazza, il plotone era già lì, pronto a partire.

Oriana

Non so come si chiamasse veramente, Oriana era il nome d'arte che si era scelta per esercitare il mestiere nelle case di tolleranza.

Era uso che ogni quindici giorni le ragazze venissero trasferite da un casino all'altro dell'Italia, in questo consisteva la cosiddetta "quindicina" che permetteva ai clienti abituali d'avere, per due volte al mese, carne nuova e diversa.

Fu nella seconda metà del giugno 1943 che Oriana, assieme ad altre cinque colleghe, arrivò nel casino del mio paese, la Pensione Eva.

La "Signora", ossia la maîtresse, prima che le ragazze si presentassero in pubblico, avvertì i numerosi clienti in sala – l'affollamento era abituale il primo giorno della nuova quindicina – che c'erano certe regole da rispettare da parte di chi sarebbe andato con la nuova ragazza Oriana.

Le regole erano che Oriana faceva la svelta, il quarto d'ora e la mezzora se le andava il cliente e mai di più; inoltre era inutile domandarle prestazioni particolari perché la richiesta sarebbe stata respinta.

La Signora ci tenne a precisare che queste regole, che venivano in concreto a significare un minore introito per la casa, le erano state imposte d'autorità. Quale autorità, non specificò. Naturalmente ci furono mormorii di protesta ma quando le nuove ragazze entrarono in sala, alla vista di Oriana cadde il silenzio assoluto. Mentre le altre indossavano le solite vestagliette semiaperte che lasciavano intravedere i corpi nudi, Oriana era in gonna e camicetta e si muoveva senza sorridere, l'aria distaccata, come un'estranea capitata lì per caso. Era una trentenne molto bella, curata, alta, i capelli dai riflessi ramati lunghi sulle spalle.

Invece di fare il giro dei clienti intrattenendosi a scherzare con loro, com'era consuetudine, si andò a sedere, compassata, sopra un divanetto, e si mise a guardare attorno con una espressione indifferente che certo non incoraggiava.

Fu Totò Farruggia, uno studente liceale diciannovenne più volte ripetente, ad essere il primo suo cliente. Spiegò a un amico che la ragazza assomigliava assai alla sua professoressa di matematica che l'aveva bocciato e così avrebbe avuto l'impressione di prendersi una rivincita.

Quando ridiscese, molti gli domandarono:

«Com'è?».

«Una magnificenza.»

Per quella sera Oriana spopolò, non ebbe un momento di sosta.

Ma il giorno seguente ci fu un imprevisto. Un gruppo di

sei gerarchi fascisti, capitanati dal vicefederale di Agrigento, Pasquinotto, irruppe nel casino, fece estromettere i clienti e si sostituì a loro. I gerarchi s'impegnarono con la Signora a mantenere in attività le ragazze fino all'ora della chiusura o comunque a pagare l'equivalente dell'incasso di una normale serata.

Pasquinotto scelse Oriana proponendole di passare tutte le quattro ore disponibili con lui.

Oriana rifiutò fermamente. Al massimo, visto e considerato che era un vicefederale, poteva arrivare alla mezzora.

Pasquinotto s'infuriò e andò a protestare dalla Signora, la quale trasse in disparte Oriana e tanto fece e tanto disse che la ragazza, per quell'unica volta, si sottomise.

Appena un'ora dopo, Oriana uscì di corsa dalla sua camera urlando e si precipitò giù dalla Signora. La quale salì, entrò nella camera della ragazza e anche lei si mise a urlare. I cinque gerarchi, nudi, interruppero la loro attività e corsero a vedere.

Pasquinotto giaceva di traverso sul letto, la bocca storta, la lingua di fuori, gli occhi strabuzzati. Morto sul colpo.

«Un infarto letale» sentenziò il dottore Sciacchitano chiamato in gran segreto.

I gerarchi rivestirono il cadavere alla bell'e meglio, lo caricarono in macchina, si fecero promettere il silenzio dalle ragazze e se ne tornarono ad Agrigento.

Ma quello che era successo lo si venne a sapere lo stesso.

E subito cominciò a circolare una leggenda, quella che le arti amatorie di Oriana erano sopportabili a un comune essere umano per un limitato periodo di tempo, che andava appunto dal quarto d'ora alla mezzora. Oltre, il rischio era mortale.

«Ce l'ha come il pugno di Carnera» spiegò il professore Santino. «Uno o due cazzotti li puoi anche reggere, ma cinque t'ammazzano.»

Tre sere dopo si presentò un tenente pilota, un asso della guerra, medaglia d'argento, che aveva più volte visto la morte in faccia. Voleva vederla anche questa volta passando un'ora con Oriana. La quale si fece pregare a lungo ma alla fine acconsentì.

Il tenente salì le scale tenendo un braccio attorno alla vita della ragazza e l'altro levato in alto per rispondere agli auguri e agli incitamenti dei clienti.

Le ridiscese indenne un'ora e cinque minuti dopo, sorridente, tra gli applausi dei presenti.

La tesi del professor Santino venne così clamorosamente smentita.

Chiaro, evidente che il vicefederale Pasquinotto era morto perché era una mezza calzetta, come tutti i fascisti, aggiunse qualcuno, e non per la potenza del, chiamiamolo, pugno di Oriana.

Questa nuova tesi arrivò alle orecchie del federale. Il quale, tre sere dopo, mandò un suo subalterno dalla Signora con l'ordine che entro mezzora il casino doveva essere sgombrato dai clienti. Poi comparve in divisa, facendo il saluto romano alla Signora e proclamando fieramente:

«Sono venuto a riscattare l'onore dei fascisti».

Con lui c'erano tre fidatissime camicie nere. Però il federale era sì disposto a rischiare, ma fino a un certo punto. Domandò infatti solo la mezzora con Oriana, e quella, istruita a dovere dalla Signora, non fece storie.

Trentacinque minuti dopo il federale usciva dalla camera di Oriana con un sorriso trionfante e appariva dal ballatoio ai suoi che scattavano in piedi e si mettevano sull'attenti.

«Missione compiuta. Camerati, saluto al Duce!»

«A noi!»

Il federale scese il primo dei dieci gradini che portavano in sala, poi barcollò, si portò una mano al cuore, s'afflosciò e rotolò per tutti i gradini fermandosi inerte ai piedi della scala.

Il dottor Sciacchitano riuscì a farlo rinvenire ma ordinò che fosse subito accompagnato all'ospedale per esservi ricoverato.

Quando la cosa si riseppe, i fascisti locali perdettero definitivamente la faccia.

Il sessantenne professor Santino allora, per la prima volta nella sua vita, andò a casino e supplicò Oriana di concedergli un quarto d'ora.

Fu convincente, ma in quel quarto d'ora non consumò, si limitò invece a interrogare la ragazza.

Apprese così che Oriana, bolognese, aveva lavorato come operaia da quando aveva diciotto anni. Poi era stata licenziata in quanto figlia di un ferroviere, a sua volta vent'anni prima licenziato perché socialista e quindi arrestato con l'accusa di tramare contro il partito.

Il lavoro di Oriana costituiva l'unica fonte di reddito della famiglia perché la madre, insegnante elementare, aveva perso il posto non avendo voluto prendere la tessera fascista.

Oriana, per mantenere se stessa e i genitori, si era vista costretta a far quella vita. Ma la polizia politica era intervenuta, temeva che Oriana, col mestiere che faceva, potesse diffondere le idee socialiste. Quindi niente lunghi contatti con i clienti, al massimo un quarto d'ora.

«È l'odio mortale che lei nutre verso i fascisti che le si concentra in quel posto e li annienta» spiegò il professore ai soci del circolo. «Tant'è vero che sul tenente pilota non ha avuto alcun effetto.»

Da quel giorno i fascisti disertarono il casino. Andarci significò proclamarsi antifascista.

Allo scadere del termine, la quindicina non poté essere cambiata, impossibile viaggiare sotto i bombardamenti e i mitragliamenti degli Alleati. Il casino venne chiuso. Le ragazze si sbandarono.

Oriana, in riconoscimento dei suoi meriti, fu assunta come cameriera in casa dell'avvocato Guarnaccia, vecchio deputato socialista che aveva anche patito il carcere per le sue idee.

Quando tre settimane dopo gli americani arrivarono alle porte del paese, tra i membri del comitato antifascista che li accolse c'era anche Oriana, in lacrime, che teneva in pugno una bandiera rossa.

Pucci

In realtà si chiamava Eriberta e per scrivere il suo cognome completo d'annessi e connessi non sarebbe bastato un foglio intero. Marchesa di luoghi ameni, contessa di posti giulivi, baronessa di località perse, era una nobile che più nobile di così non si poteva. I magnanimi lombi dai quali discendeva del resto non avevano bisogno di un biglietto da visita, che nelle sue vene scorresse sangue blu al cento per cento era più che evidente in ogni istante dal suo comportamento. Non che fosse altezzosa, tutt'altro, ma la naturale grazia, l'eleganza innata del muoversi, del rapportarsi con gli altri, del concedersi a un semplice dialogo, rimarcavano, anche contro il suo volere, una diversità, un confine a un tempo visibile e invisibile.

A me la fece conoscere, a Milano, un mio amico regista. Perché Pucci frequentava l'ambiente nel quale era nata e cresciuta solo il minimo indispensabile, in occasione di nascite, matrimoni e morti, il resto del suo tempo lo trascorreva con gli "artisti", parola che lei pronunziava facendone addirittura sentire le virgolette.

Bastò poco per accorgermi di due cose. La prima era che per lei il termine artisti spaziava dai pittori ai saltimbanchi, dai musicisti ai madonnari, dagli attori ai posteggiatori con chitarra e mandolino dei ristoranti. Per lei non facevano differenza. Un clown da circo di terz'ordine e Picasso erano sullo stesso piano. Mostrava l'uguale rapito entusiasmo tanto davanti alla *Gioconda* quanto davanti a una crosta di un dilettante della domenica. La seconda cosa era che, malgrado avesse frequentato in Svizzera e in Inghilterra collegi esclusivi, restava sostanzialmente di un'ignoranza sbalorditiva.

Era capace di situare la Somalia nell'America del Sud, di confondere Garibaldi con Mussolini, di credere che Marconi avesse inventato il frigorifero o che l'America fosse stata scoperta da Cavour.

Ma diceva queste enormità con tale nonchalance, con tale seducente levità, che nessuno osava contraddirla.

Al cinema bisognava che l'accompagnatore, con santa pazienza, le spiegasse il film. Non capiva il montaggio, le dissolvenze la mandavano in stato confusionale.

Ma non era per niente stupida. Talvolta ci sorprendeva tutti con un'osservazione garbata e acuta.

In sua presenza, anche durante le discussioni più accese, evitavamo di trascendere, di dire parole men che corrette. Non che lei ce l'avesse esplicitamente chiesto, ma ci veniva spontaneo, pensavamo fosse un atto di riguardo dovutole.

Indossava, in genere, abiti fatti in modo che le nascondessero le forme. Era alta, un volto un po' cavallino ma estremamente attraente, capelli neri a treccia raccolti dietro la nuca. Splendidi gli occhi, neri, profondi, a volte svagati, a volte attentissimi.

Per due o tre giorni al mese spariva senza avvertire nessuno. Poi ci spiegò che veniva a trovarla dall'Austria il suo fidanzato, un nobile spagnolo il cui cognome, ci disse, era lungo quanto il suo. Ci rivelò che si chiamava Roderigo e niente di più.

Non si alterava mai, non perdeva mai la calma, era sempre presente a se stessa. Flem, il mio amico regista, mi raccontò che una volta era andato a teatro con lei quando in sala era scoppiato un piccolo principio d'incendio, una sciocchezza. Ma il panico tra gli spettatori era stato immediato, tutti si erano precipitati alle uscite spintonandosi. Anche il mio amico avrebbe voluto scapparsene, ma venne trattenuto da Pucci che gl'intimò, gelida e disgustata dallo spettacolo offerto dalle persone terrorizzate:

«Ordina a questa gente che lascino passare prima le donne e i bambini».

Il mio amico si mise le mani ai lati della bocca e gridò, sentendosi profondamente ridicolo:

«Prima le donne e i bambini!».

Pucci uscì penultima, dopo avere inutilmente insistito che il mio amico passasse prima di lei.

Una sera, per festeggiare il suo compleanno, Flem m'invitò a cena. Quando arrivai, un po' in ritardo, al tavolo, oltre al mio amico, trovai Pucci e una splendida ragazza, Alessia, che faceva l'indossatrice e che ogni tanto s'accompagnava con Flem. Pucci e Alessia era la prima volta che si vedevano, ma sembrarono simpatizzare.

Quando mi ritrovavo a pranzo o a cena con Pucci rimanevo incantato a vederla mangiare. Usava le posate con la stessa precisione ed eleganza con le quali un grande chirurgo adopera il bisturi. Il suo masticare si risolveva in un quasi impercettibile movimento del mento. Non lasciava mai nulla nel piatto, perché la porzione preventivamente richiesta e accuratamente spiegata al cameriere corrispondeva con esattezza a quanto lei, di quella portata, si sentiva di mangiare.

Dopo la cena, Flem ci portò nel suo residence per bere qualcosa. Stappò una bottiglia di champagne, ci riempì i bicchieri. Pucci era astemia, ma per far piacere a Flem ne bevve un dito. Scolata in tre la bottiglia, passammo al whisky. Per tenerci compagnia, Pucci ne ingoiò un goccio. Poi, mentre noi diventavamo sempre più euforici, Pucci sembrò addormentarsi nella poltrona. Dopo un po', asserendo di avere molto caldo, Alessia si tolse la camicetta. Sotto era nuda. Mi mancò il fiato.

«Ma sono una meraviglia!» esclamai. «Hai dei seni da antologia!»

Un vero e proprio ululato ci fece accapponare la pelle. Veniva dalla poltrona sulla quale credevamo che Pucci dormisse. Invece era in piedi, sveglissima, gli occhi che mandavano scintille.

«Senti un po', brutto stronzo!» mi gridò. «Prima di parlare a vanvera, guarda queste, figlio di puttana!»

In un lampo si sfilò dalla testa il mezzo sacco che le arrivava alla vita, si sganciò il reggiseno, si prese le tette tra le mani, avanzò, me le mise sotto il naso. Poi rivolse la sua attenzione ad Alessia.

«Levati la gonna, troia!» le intimò avanzando minacciosa verso di lei con in mano la bottiglia vuota di champagne brandita alta per il collo.

La ragazza, atterrita, eseguì.

«Voltati, vacca sfondata!»

Diede un'occhiata sprezzante al posteriore di Alessia e quindi, rivolta a noi due, ci sfidò, cominciando a levarsi la gonna:

«Vogliamo parlare di culo?».

Riuscimmo a calmarla dopo averle detto che il suo corpo non aveva uguali. Il viaggio in macchina verso il suo palazzo fu una lotta continua.

Voleva chiedere un parere sulle sue tette ai metronotte, ai netturbini, ai tiratardi, usando un linguaggio che avrebbe fatto arrossire un parà.

L'indomani tornò ad essere la Pucci di sempre. Impeccabile.

Forse, sia pure per poco, la sera prima ci aveva mostrato l'altro volto della noblesse.

Quilit

A Rio de Janeiro lo spettacolo su Majakovskij da me diretto era arrivato dietro invito della locale università. Fu per questo che quando mi presentai alla ribalta del grande teatro che ci ospitava per illustrare il lavoro da noi fatto, vidi che il fittissimo pubblico era in gran maggioranza composto da giovani. Lo spettacolo, che durava un'ora e mezzo senza intervalli, aveva un ritmo forsennato, trascinante.

Al termine, scoppiò un'ovazione. E subito appresso molti giovani dalla platea salirono in palcoscenico per abbracciare gli attori loro coetanei. Una confusione entusiastica e indescrivibile. Scesi in platea per gustarmi quelle scene di reciproche affettuosità mai vedute prima in un teatro.

Dopo una sarabanda di una decina di minuti gli attori, che erano una più di una ventina, e gli spettatori saliti sul palcoscenico se ne andarono abbracciati. Io rimasi esausto seduto in platea: caduta la tensione, era subentrata la stanchezza. Si spensero le luci in palcoscenico, restarono solo quelle di servizio in sala. Mi alzai per andarmene e notai, nella semioscurità, che c'era una persona seduta nell'ultima fila di platea. Mi avvicinai. Era una ragazza ventenne, dal viso delizioso, assai carina. Si alzò anche lei. Bruna, non molto alta, indossava camicetta e jeans e aveva un corpo ben proporzionato.

«Tu sei molto bravo» mi disse in buon italiano ma con accento brasileiro.

«Grazie. Aspetti qualcuno?»

«No, aspetto che mi passi l'emozione. Senti?»

Prese la mia mano e se la portò al cuore. Sentii abbastanza, anche perché sembrò che non sapesse dove fosse esattamente localizzato il cuore e quindi aveva obbligato la mia mano a tastare nei piacevoli dintorni.

«Mi chiamo Quilit.»

Dopo due giorni di Brasile, mi ero assuefatto ai nomi più assurdi.

«Vuoi venire a cena con noi?» le domandai.

«Non posso, ho un appuntamento col mio fidanzato. Perché non vieni tu con me?»

Accettai. Avvertii il direttore di scena che non sarei andato a cena con gli attori e uscii con Quilit. Prendemmo un taxi e lei diede all'autista un indirizzo di Copacabana. Il locale dove mi condusse era una sorta di grandissimo bar dove si poteva anche mangiare, frequentato, ma non esclusivamente, da universitari. Lo stanzone nel retro conteneva una trentina di tavoli, quasi tutti occupati.

In attesa del fidanzato, Quilit mi raccontò che studiava Legge, che l'anno seguente si sarebbe laureata in diritto e che sarebbe subito entrata nello studio della madre che era avvocato del lavoro.

Arrivò Jaime, il fidanzato, un bel ragazzo alto e atletico che non sembrò contento di vedermi. Sedette e iniziò una fitta e alterata conversazione con Quilit della quale non capii nulla. Poi Jaime, scuro in volto, si alzò e se ne andò.

«Non mi pare che abbia avuto una buona idea a farmi venire con te» dissi.

Si strinse nelle spalle, mi sorrise incantevole, mi carezzò una mano.

«Tu non c'entri. È per una storia successa ieri. Avevo bisogno di chiedere una spiegazione a un assistente per la materia che sto studiando, Jaime mi ha accompagnato in macchina a casa sua ma non è voluto salire. Poi, quando sono scesa, siccome avevo tardato, si è molto arrabbiato, diceva che avevo fatto una cosina all'assistente.»

«Ma è così geloso?»

«Be', spesso. Il fatto è che stavolta aveva ragione. Ma è stata una cosa senza importanza, perché dargli tutto questo peso? Dài, su, ora ordiniamo e mangiamo.»

Entrò una signora molto elegante, bella, disinvolta, si diresse al nostro tavolo. Quilit fece le presentazioni. Era sua madre. La quale mi chiese scusa e si mise a parlare a bassa voce con la figlia. Poi mi porse la mano, mi sorrise e se ne andò.

«Tua madre è molto bella» dissi.

«Sì. È ancora giovane, deve fare i quaranta, mi ha avuta che non aveva nemmeno diciotto anni. Ti piace davvero?»

«Be', sì.»

«Vuoi che glielo dica? Se le va, potreste combinare.» Rimasi senza parole per la disinvoltura. Poi cercai di spiegarle che non ero un uomo che... insomma, mi capisse. Quilit capì, ma a rovescio. Dopo cinque minuti chiamò un superbo meticcio, lo fece sedere al nostro tavolo, gli mormorò qualcosa all'orecchio. Il meticcio annuì, mi mise una mano sulla coscia, me la carezzò, e poi mi chiese sorridendo e avvicinando pericolosamente i suoi labbroni alla mia bocca: «Io a te piace, italiano?».

Terrorizzato, dissi a Quilit che si era sbagliata, che a me i maschi non piacevano. Lei liquidò il meticcio, mi guardò in silenzio, poi parlò.

«Volevo solo ripagarti della felicità che m'ha dato il tuo spettacolo. Ma non capisco quello che vuoi, scusami. Finiamo di mangiare.»

Finimmo. E subito dopo mi domandò se potevo darle un po' di denaro.

C'era la svalutazione, tirai fuori dalla tasca una voluminosa mazzetta. Lei prese un po' di banconote, si alzò e andò nell'altra stanza. Ero perplesso. E anche un po' deluso che m'avesse chiesto del denaro. Tornò con due grossi sacchetti di plastica rigonfi.

«Mi accompagni a fare un giro?»

Con un taxi tornammo in città, andammo a finire in un quartiere periferico, di case basse, fatiscenti, male illuminato, che odorava d'estrema povertà. Mi fece camminare per ore. Così conobbi una Rio che ai turisti è vietata.

Quilit sembrava essere amica di tutti, prostitute, magnaccia, pezzenti, ladri bambini. Mi fece immergere in un'umanità a un tempo disperata e disperatamente felice d'esserlo. Un autentico girone dell'inferno. Ogni tanto infilava la mano nei sacchetti, ne tirava fuori una coscia di pollo, una bistecca, un hamburger e li dava a qualche morto di fame che non si capiva come facesse a reggersi in piedi.

Alle tre del mattino volle che l'accompagnassi alla metropolitana. Si era stancata, desiderava tornare a casa. Alla stazione, nell'attesa, mi prese per mano e mi condusse in un angolo buio e deserto.

«Se vuoi... Abbiamo più di cinque minuti» mi disse facendomi capire chiaramente cosa intendesse.

La ringraziai. Le risposi che lei mi piaceva molto, ma che mi sentivo stremato.

Si alzò sulla punta dei piedi, m'abbracciò stringendomi forte e mi baciò sulla bocca.

Arrivò la metropolitana, salì, rimanemmo a guardarci fino a quando le vetture si mossero.

Ramona

Per realizzare uno sceneggiato televisivo mi occorrevano una contorsionista e un bravo lanciatore di coltelli. Mentre la contorsionista avrebbe dovuto eseguire soltanto il suo numero, il lanciatore di coltelli avrebbe avuto le funzioni di istruttore dell'attore che faceva appunto la parte di un lanciatore di coltelli e che era assolutamente a digiuno della materia. Feci sapere all'ufficio scritture che per primo mi sarebbe stato necessario il lanciatore. Che si presentò due giorni dopo in sala prove.

Era un quarantenne alto, aria da macho, baffetti sottili e lunghe basette, si chiamava Pedro, ma era nato a Ravanusa, in Sicilia.

Gli spiegai che l'attore non avrebbe davvero lanciato i coltelli, che la tavola d'appoggio dell'attrice che avrebbe costituito il bersaglio era truccata, i coltelli erano già nascosti dentro la tavola, avrebbero dato l'impressione di configger-si nel legno mentre in realtà ne uscivano velocemente. Un trucchetto ottico.

A me bastava che insegnasse all'attore i movimenti esatti da fare, la posizione da assumere.

Pedro aveva, di natura sua, un'inquietante sguardo torvo. Che, alla mia spiegazione, si fece ancora più torvo:

«Allora è tutto finto?».

«Certamente. Non pretenderà che faccia lanciare contro un'attrice dei coltelli veri da uno sprovveduto?»

Inalberò un'aria offesa.

«Dopo che l'ho istruito io, non sarà più uno sprovveduto.»

«Senta» tagliai corto, «faccia come dico io e basta.»

Mi lanciò uno sguardo carico d'odio. Ma tra tanti lanciatori di coltelli l'ufficio scritture doveva mandarmi proprio il più permaloso?

L'indomani, alle prove, non si presentò. Dall'ufficio scritture mi fecero sapere che il lanciatore era stato convocato dalla polizia perché la sera avanti, dopo lo spettacolo del circo, un incauto spettatore aveva fatto delle proposte alla fidanzata del lanciatore e questi l'aveva malridotto.

Venne il giorno dopo, più torvo che mai. In pochissimo tempo, divenne molto amico dell'attore che stava istruendo. E questi mi riferì che Pedro gli aveva confidato d'essere gelosissimo della sua ragazza, ossessionato addirittura, tanto che non era la prima volta che mandava qualcuno all'ospedale. E aveva aggiunto che se la ragazza l'avesse tradito, non avrebbe esitato a uccidere il rivale.

«E anche la ragazza, suppongo» dissi.

«No, la ragazza no, l'ama troppo per farle del male.»

Il lanciatore finì il suo lavoro e feci venire la contorsionista, Ramona.

Era una ragazza incantevole, dolcissima, bruna, non alta ma dotata di un corpo perfetto, una macchina superlativa. La prima volta che si esibì in sala prove, sconvolse dal primo all'ultimo i maschi presenti.

Una cosa è guardare una contorsionista al centro di una pista da circo e un'altra è averla a un metro di distanza. Sono convinto che in tutti gli appartenenti al genere maschile che la stavano a guardare i pensieri fossero non proprio sotto il segno dell'arte, credo che in quel momento si fossero persuasi che il kamasutra era un sillabario delle scuole elementari. Ramona era cosciente dell'effetto e se ne compiaceva, lanciando sguardi languidi a destra e a sinistra. Quell'esibizione fece sì che tutti gli uomini cadessero ai suoi piedi.

Siccome le prove si svolgevano la mattina, Ramona il primo giorno accettò l'invito a pranzo del primo attore. Il secondo giorno andò a pranzo col regista. Il terzo col secondo attore. A quanto mi fu dato di sapere, una volta terminato il pranzo, Ramona era libera fino alle sette di sera. Che il suo accompagnatore, se ne aveva voglia, si regolasse di conseguenza.

Il quarto giorno toccò a me, che ero il produttore. Era stata Ramona a proporsi:

«A te non va d'invitarmi a pranzo?».

Mentre mangiavamo, le dissi, a scanso d'equivoci, che dopo avevo un impegno. A metà pranzo lei mi domandò, con aria svagata, se Manrico, un attore di terz'ordine, ma un gran bel ragazzo, assentandosi per qualche giorno mi avrebbe portato danno.

«Stai scherzando? Tra due giorni cominciamo a registrare. Perché me lo chiedi?»

«Così.»

Si alzò, andò a telefonare. Al ritorno, mi disse che aveva chiamato Manrico e che questi sarebbe passato a prenderla. Capii che era intenzionata a intrattenersi con lui fino alle sette. La lasciai al ristorante e me ne andai.

Quella sera stessa l'ufficio scritture mi telefonò a casa per informarmi che Manrico non sarebbe stato presente alle prove perché ricoverato all'ospedale con sospetta frattura del cranio.

«Un incidente d'auto?»

«Macché! È stato sorpreso in un alberghetto dal fidanzato della contorsionista con la quale stava facendo l'amore.»

Ebbi come un lampo.

«Il fidanzato è il lanciatore di coltelli?»

«Perché, non lo sapevi?»

L'indomani, alle prove, Ramona si presentò tranquilla, serena e con un'aria beata.

«Oggi vieni a pranzo con me» le ordinai.

Quando fummo a tavola, le dissi che esigevo una spiegazione.

«Sei stata tu ad avvertire Pedro?»

L'azzurro dei suoi occhi, mentre mi guardava, era un lago sereno.

«No, sarebbe stato un gioco troppo scoperto, gli ho fatto fare una telefonata anonima da un amico del circo.»

La guardai esterrefatto.

«Mi spieghi perché?»

Sorrise, gli occhi sognanti.

«Amico mio, tu non riuscirai mai, neanche lontanamente, a immaginare che cosa sia di meraviglioso, d'indescrivibile la nostra riconciliazione! Dio, che notte è stata stanotte! Ci siamo addormentati stremati, ancora abbracciati, alle sei del mattino. Nelle prime due ore Pedro è stato un toro furioso, schiumante, tra le sue braccia mi sono sentita morire squarciata, lo imploravo di smettere, ma lui continuava con un vigore bestiale. Poi, a un tratto, è diventato tenero, mi ha chiesto perdono, continuando a possedermi con una dolcezza infinita, estenuante, quindi...»

Proseguì a lungo, entrando anche in dettagli. Che potevo fare? Riunii quelli che ancora non erano stati con Ramona e li avvertii del pericolo.

Per fortuna Manrico dopo tre giorni poté tornare a lavorare. Ma io non osai dirgli che a mandarlo all'ospedale era stata praticamente Ramona per ricavarne una notte di piacere.

Sofia

Figlia di una coppia d'insegnanti, anche Sofia si laureò, ma distrattamente, in Lettere. Per i successivi cinque anni visse di supplenze e ripetizioni private, poi si stancò. Compiuti i ventotto, abbandonato il grosso paese veneto dove era nata e dove viveva coi genitori, si trasferì a Milano. I suoi non erano in grado di mantenerla e quindi dovette ingegnarsi. Era una bella ragazza, castana, di media statura, un corpo assai ben formato e alquanto sensuale, molto espansiva e cordiale. Trovò subito da lavorare come commessa in una libreria. Non ebbe difficoltà, dopo un mese, a diventare l'amante di Fabio, il cinquantenne proprietario, ch'era sposato e padre di due figli. Naturalmente Sofia aveva avuto le sue esperienze, ma si era trattato di rapporti "una botta e via", come li definiva ridendo, anche se erano stati frequenti e mai due volte con la stessa persona. Fabio, ricevuto una sorta d'incarico sindacale, dovette cominciare a viaggiare spesso e così, trasformata Sofia in segretaria, poté instaurare con lei dei rapporti assai meno fugaci di quelli sino ad allora avuti. Ma fu proprio questa condizione in apparenza propizia a modificare negativamente la loro storia. Ora Fabio avvertiva che in Sofia era avvenuta una maturazione, una consapevolezza della propria sessualità che lo metteva a disagio. Era come se Sofia cercasse qualcosa che andava oltre l'amplesso. E, non trovandolo, diventava incontentabile, le sue pretese che si susseguivano fino alle prime luci dell'alba lo stremavano, alle riunioni non era più lucido, presente a se stesso. Inoltre avvertiva in Sofia un'aggressività sconcertante, quasi volesse fargli pesare la differenza d'età e l'incapacità di soddisfarla appieno. Per uscire da quella situazione, rinunciò all'incarico, di conseguenza Sofia tornò a fare la commessa e ripresero a incontrarsi saltuariamente come prima nell'appartamentino dove lei abitava e di cui lui pagava l'affitto.

Fabio, anche se talvolta ne era tentato, non era in grado di troncare il rapporto, intuiva che se l'avesse fatto avrebbe sofferto molto per la sua mancanza. Non osava dire a se stesso che ne era innamorato.

Una mattina Sofia gli telefonò che non sarebbe potuta venire in libreria, era raffreddata, aveva qualche linea di febbre. Fabio si scusò di non poterla andare a trovare, come avrebbe desiderato, nel pomeriggio aveva una riunione con altri librai che prevedeva sarebbe durata a lungo. Riunione già stabilita da tempo e di cui Sofia era al corrente. La ragazza gli rispose di non preoccuparsi, starsene a letto al calduccio le avrebbe giovato, il giorno dopo sarebbe stata di certo in condizione di riprendere il lavoro. Fabio, prima di chiudere la conversazione, le propose, per la sera appresso, di andare a cena insieme, poi avrebbe potuto stare con lei per un due orette. Sofia rise, disse che le pareva un'ottima idea, era da cinque giorni che non lo facevano.

Nella tarda mattinata, avvertirono Fabio che la riunione era stata disdetta. Così nel pomeriggio se ne stette in libreria e poi, dopo la chiusura, decise di fare una sorpresa a Sofia. Entrò in una rosticceria, comprò pollo e patatine, si munì anche di una bottiglia di vino.

Parcheggiando, notò che dalle persiane chiuse della finestra della camera da letto filtrava della luce, segno che Sofia se ne stava coricata. Aprì con le sue chiavi il portone, prese l'ascensore, arrivò al terzo piano, entrò e richiuse la porta alle sue spalle senza fare il minimo rumore.

Già nella minuscola anticamera lo colpì un odore di chiuso, di dolciastro, come se l'appartamentino, tutto al buio salvo che nella camera da letto, non fosse stato ventilato da almeno due giorni. Il caldo era soffocante, il riscaldamento autonomo andava al massimo.

Poi vide l'immagine nel grande specchio dell'appendiabiti.

Sofia era una maniaca degli specchi, la casa ne era colma, di tutte le misure. Da tempo si erano accorti che lo specchio dell'anticamera, per un gioco di rimandi, inquadrava esattamente, se la porta non era chiusa, il letto di Sofia.

Sul bordo ora c'era seduto, nudo e grondante sudore, un cliente della libreria, un trentenne atletico, di buone letture. Sofia era inginocchiata tra le sue gambe.

Fabio crollò sopra una sedia, chiuse gli occhi, incapace di fare un gesto, di dire una parola. Poi, invece di fare irruzione nella stanza da letto, si costrinse a guardare. Vedeva Sofia di fianco, il volto coperto dai capelli. Il movimento della sua testa era lento, uniforme, costante, come la risacca del mare. Si ricordò che una volta gli aveva confessato che quando aveva avuto l'occasione di fare l'amore in barca si era sentita in armonia con se stessa e col mondo.

A un tratto il giovane le posò una mano sulla nuca, Sofia gliela scostò bruscamente.

Fabio capì che voleva essere lasciata libera e sola dentro il suo cerchio magico.

Sì, sola.

Che stesse dando godimento al giovane era un fatto di secondaria importanza, del tutto trascurabile, era invece essenziale che niente s'intromettesse tra lei e il raggiungimento del suo personale piacere alterandone il ritmo cosmico.

Il ragazzo non era che un oggetto indispensabile e nient'altro.

Ne ebbe conferma poco dopo, quando Sofia salì sul letto mormorando qualcosa.

«Ancora?» protestò l'altro. «È da iersera che...»

«Dài!» disse lei.

Ora, per la posizione che aveva assunto, Fabio poteva finalmente vederla in faccia.

Sofia, ansante, tirò fuori la lingua e si leccò il sudore che le scorreva a rivoli. Ma non bastò, allora si strofinò il volto contro il lenzuolo. Il giovane stava dietro di lei.

Fabio sapeva che Sofia non gemeva, non emetteva nessun suono, rimaneva muta, con gli occhi chiusi, una lieve contrazione dei muscoli del bacino era il solo segno che aveva raggiunto l'acme.

Rarissimamente, subito dopo, e solo per un attimo, spalancava al massimo la bocca, come fa la mantide religiosa che si mangia il maschio dopo l'accoppiamento.

Ora, guardandola in faccia da spettatore, Fabio la vide assumere un'espressione intensa, estremamente assorta, concentrata, la fronte corrugata, le labbra tese, stava escludendo il mondo esterno per ascoltare qualcosa dentro di sé, qualcosa di magico che stava accadendo nelle profondità del suo corpo. A un certo momento spalancò gli occhi, mosse velocemente le pupille a destra e a sinistra poi le rovesciò all'interno, come a guardarsi dentro. Stava a sentirsi, attenta a percepire le minime reazioni della sua carne sollecitata, stimolata. Era momentaneamente cieca, gli occhi erano solo due globi bianchi, e Fabio ebbe la certezza che l'avesse fatto per cancellare ancor di più la realtà esterna e per ridursi ad essere l'unico punto vivente e palpitante in un immenso nulla.

D'improvviso Sofia s'appoggiò sui gomiti e congiunse le mani. Le sue labbra si mossero velocemente dicendo parole che sentiva solo lei.

Pregava? E se sì, a quale dio stava rivolgendo la sua preghiera? Facevano così, un tempo, le sacerdotesse di Venere?

La preghiera dovette giungere a segno perché di colpo Sofia si raggomitolò, la fronte sul lenzuolo, le braccia a circondare la testa, chiusa in se stessa a riccio per non lasciare uscir fuori nulla di quello che stava provando e che la squassava facendola sussultare come se piangesse. Poi scattò stendendosi a pancia sotto, il busto sollevato retto sulle mani rivolte all'interno, sembrava una lucertola, e spalancò la bocca.

No, non era l'atteggiamento della mantide che sta per staccare il capo al maschio. Sofia stava lanciando un grido altissimo e muto d'appagamento, d'assoluta, raggiunta pienezza.

Quindi si voltò verso il giovane e gli intimò:

«Ora rivestiti e vattene».

Rapidissimo, Fabio si alzò, prese il sacchetto, uscì, richiuse adagio la porta.

In strada, decise che di quello che aveva visto non avrebbe fatto cenno con Sofia. Non l'aveva sorpresa mentre lo tradiva, ma mentre praticava un rito segreto di vita che riguardava lei sola.

Le telefonò prima di rincasare. Sofia aveva la voce roca.

«Dormivi?»

«Non ho fatto altro tutto il giorno.»

«Come ti senti?»

«Passato tutto. Sto benissimo. Domani sicuramente verrò.»

«E poi la sera staremo insieme un pochino?»

«Non desidero altro.»

«Ti amo.»

«Anch'io» disse Sofia.

Teodora

La si può ammirare nello splendido mosaico della basilica di San Vitale, a Ravenna. Teodora di Bisanzio, la moglie dell'imperatore Giustiniano, vi è raffigurata in tutta la sua imponenza e maestà regale, con in capo un ricchissimo diadema di pietre preziose dal quale pendono collane di perle, un largo collare di gemme, e coperta da uno sfarzoso mantello dorato color porpora, in mezzo alla schiera delle sue dame di corte.

Gli storici affermano che Teodora non si limitò ad essere soltanto la moglie di Giustiniano, cioè di colui che liberò Roma dai Goti e raccolse in un corpus unico tutte le leggi del diritto romano, vale a dire il fondamento della civiltà giuridica del nostro mondo, ma ne fu anche la prima collaboratrice negli affari di Stato e, soprattutto, l'ispiratrice di alcune importanti riforme sociali.

Tra l'altro, e non è cosa da poco, fu donna che seppe dimostrare un grande coraggio personale.

Procopio di Cesarea, lo storico dell'epoca giustinianea, riporta il discorso improvvisato che tenne ai generali e ai consiglieri dell'imperatore durante la rivolta di Nika, i quali non vedevano altra strada di salvezza che nella fuga. Teodora s'intromise nei concitati e contrastanti pareri esordendo con malcelati disprezzo e ironia:

«Penso che nelle presenti condizioni sia trascurabile la sconvenienza che una donna sia più coraggiosa degli uomini e proponga soluzioni che richiedono audacia a chi invece dimostra paura...».

Convinse tutti a resistere. E così Giustiniano poté fregiarsi di un'altra vittoria.

Ma è cosa nota che lo stesso Procopio, il quale ufficialmente ne canta le lodi, nella sua *Storia segreta* invece la denigra, la diffama, la vitupera, è come se volesse spogliarla del sontuoso mantello del mosaico per mostrarcela impietosamente, crudelmente nuda.

Procopio non perdona alla grande Basilissa le sue origini, i suoi terribili anni giovanili.

La *Storia segreta* è un continuo, accanito, minuzioso, e anche fin troppo compiaciuto, racconto dell'abiezione nella quale Teodora viveva prima di diventare imperatrice.

Ma non sarebbe più giusto se avesse scritto: l'abiezione nella quale fu costretta a vivere?

Acacio, allevatore di orsi per gli spettacoli, morì giovane lasciando la vedova e tre figlie, Comitò, la più grande, che aveva appena sette anni, Teodora e Anastasia.

Siccome crebbero tutte e tre molto belle, la madre, che conviveva miseramente con un poveraccio, pensò bene di fare di Comitò una cortigiana appena che n'ebbe l'età.

Procopio scrive che in breve primeggiò fra le sue colleghe, addirittura "brillò", i ricchi clienti facevano la fila. Si prese come aiutante la sorella Teodora, poco più che una bambina. E qui preferisco lasciare la parola a Procopio.

"Dato che Teodora allora non era ancora matura come donna per giacersi con uomini, si accoppiava come se fosse maschio con certi schiavi che in questo obbrobrioso modo trovavano sfogo / e anche nel bordello dedicava molto tempo a far usare del suo corpo contro natura. Appena adolescente diventò una prostituta di bassa lega."

Però è fermamente decisa a farsi strada o almeno a salire qualche gradino della scala sociale. E infatti Procopio racconta come non sapendo suonare nessuno strumento musicale e non sapendo nemmeno ballare, purtuttavia si faceva notare per la sua bellezza, l'unica cosa che potesse mettere in mostra, e così riuscì ad entrare nel mondo dei mimi che all'epoca facevano gli spettacoli più in voga.

Spesso, continua Procopio, si spogliava sul palcoscenico rimanendo in perizoma. Ma non sempre se lo teneva, un suo celebrato "numero" contemplava infatti che delle oche beccassero chicchi d'orzo cosparsi sul suo pube.

Procopio ammette che era intelligente e spiritosissima e che aveva una filosofia di vita che la faceva ridere anche se riceveva pugni o schiaffi e che spesso risolveva tutto spogliandosi e mostrando il davanti e il didietro, parti che, annota pudicamente lo storico, "devono restare invisibili agli uomini".

E poi, non contento di ciò che ha detto di lei, Procopio la

spara grossa, riferendo che Teodora usava farsi accompagnare a pranzo da non meno di dieci giovani forzuti ed esperti nell'esercizio del sesso coi quali, dopo pranzo, s'accoppiava ripetutamente fino a stremarli. Allora si ripassava a uno a uno i servitori, una trentina, "ma nemmeno così riusciva a placare la sua lussuria".

Poi un giorno Giustiniano assiste ad uno spettacolo di mimi al quale partecipa Teodora. Ne rimane affascinato, se la prende come amante. E nel 525 se la sposa, facendo dell'ex mima non ancora trentenne la sovrana dell'Impero romano d'Oriente.

Era un gesto che solo Giustiniano poteva permettersi senza provocare sollevazioni e rivolte.

Procopio non ci lascerà nessuna nota malevola sulla condotta della Basilissa, segno che essa, prima da amante e poi da moglie di Giustiniano, fu irreprensibile.

Scrive solo, ma accennandone quasi di sfuggita, che col marito si dedicò a pratiche occulte, sperimentando la possibilità di scoprire i segreti della vita e della morte. Probabilmente Teodora cercò di raggiungere, ora che ne aveva la possibilità, quella sapienza mistica orientale ignorata nell'Occidente.

Senza bisogno che Procopio glielo ricordasse, Teodora non poté e non volle dimenticare gli orrori patiti per l'estrema indigenza quand'era ancora bambina. Le leggi che fece promulgare al marito in favore dei miserabili, dei derelitti, ne sono la prova evidente.

Sì, la giovanissima prostituta che si vendeva nei bordelli di Bisanzio si è ampiamente meritata il diritto di starsene, da imperatrice, ammirata e riverita, dentro la basilica di San Vitale, a Ravenna.

Del resto, aveva concluso il suo discorso ai consiglieri di Giustiniano durante l'assedio di Nika affermando che lei personalmente non sarebbe fuggita anche se l'imperatore l'avesse fatto, lei sarebbe rimasta a difendersi sino all'ultimo. E, prima di morire uccisa, avrebbe pensato che "la veste regale è un gran bel sudario".

Quella veste regale che nemmeno Procopio è riuscito a toglierle.

Ursula

Quando Paolo la conobbe, Ursula aveva ventisei anni e da tre viveva in Italia.

Viennese, tanto bionda da parere albina, di statura normale ma con un corpo perfetto, si era laureata in Architettura, aveva conosciuto in patria un giovane collega italiano, Silvio, si erano innamorati e, quando lui era tornato a Milano, lei l'aveva seguito.

Adesso vivevano in un appartamentino di corso Sempione e lavoravano nello stesso studio.

Ursula era dotata di un ottimo carattere, rideva spesso, non si adontava se non a ragion veduta, non amava le discussioni, cercava sempre di vivere in pace con tutti.

Paolo, desiderando di far ristrutturare un cascinale ereditato dal nonno a pochi chilometri dalla città, si era rivolto casualmente allo studio d'architettura dove lavorava la coppia. E Silvio e Ursula erano stati incaricati d'occuparsi del progetto.

In quel periodo l'unione tra i due mostrava qualche crepa.

Ursula si era accorta che spesso e volentieri Silvio si abbandonava a fugaci avventure e ne soffriva molto, tenendo però tutto chiuso dentro di sé, nel timore che qualche sua osservazione potesse scatenare una di quelle discussioni che detestava.

Il primo sopralluogo nel cascinale naturalmente lo fecero in coppia, ma al secondo si presentò la sola Ursula. Silvio si era defilato tirando in ballo all'ultimo momento un pretesto di lavoro per restarsene in città, ma lei sapeva benissimo che Silvio si era voluto guadagnare qualche ora d'insperata libertà di movimento.

E così Paolo e Ursula si trovarono da soli nel grande cascinale deserto.

A Paolo, che era scapolo, la ragazza era piaciuta molto e da subito. L'aveva colpito anche un particolare degli occhi di lei: l'iride sinistra aveva dei riflessi marrone, quella di destra li aveva verdi. E tutti e due possedevano la singolare particolarità di contrarsi molto visibilmente.

Lui notò che quella mattina lei non era del suo solito umore, aveva dei momenti di disattenzione, d'assenza. Due ore dopo Ursula aveva preso i rilievi che le servivano ed era pronta a tornare in città. Fu allora che Paolo le propose di pranzare insieme in una trattoria di campagna poco distante.

Con sua sorpresa, Ursula accettò subito.

Paolo non poteva saperlo, ma lei voleva ritardare il momento in cui si sarebbe trovata da sola con Silvio e avrebbe dovuto far finta di credere a una delle sue tante bugie.

Andarono con la macchina di lui, lasciando quella della

ragazza davanti al cascinale. Nella trattoria, oltre a tre anziani contadini, c'erano solo loro. Era una splendida giornata di sole e decisero di sedersi all'aperto, sotto un'incannucciata.

Ursula andò in bagno. Paolo la seguì con lo sguardo, incantato dal suo modo di camminare. Aveva un passo morbido, leggero ma ben aderente al suolo, però le gambe nervose mostravano il movimento dei muscoli pronti a cambiare ritmo. Era un passo che gli faceva venire in mente quello dei felini.

Paolo era un bravo conversatore e dopo un po' fu chiaro che Ursula stava bene con lui. Ora, quasi inconsciamente, facevano in modo che i loro occhi spesso s'incontrassero.

Alla fine del pranzo, in attesa del caffè, Paolo le stava dicendo della strana repulsione che suscitavano in lui cani di qualsiasi razza, quando lei si mise a ridere.

«Io detesto le gatte e i cani» disse, «ma i gatti mi piacciono assai.»

Lui non ebbe il tempo di chiederle il motivo di quella strana preferenza perché in quel preciso momento, a poca distanza dal loro tavolo, comparve una gatta rossa.

La gatta e Ursula si fissarono, quasi sfidandosi. Sbalordito, Paolo vide che Ursula si era irrigidita, tutti i nervi del suo corpo erano in tensione. La gatta arruffò il pelo, abbassò le orecchie di lato, arcuò la coda, soffiò minacciosamente e un attimo dopo attaccò.

Volò in aria, mirando al volto di Ursula. Che, quasi prevedendo l'attacco, era riuscita un attimo prima a coprirsi la faccia con le mani. Le unghie rabbiose della gatta gliele graffiarono sul dorso, ma per fortuna solo superficialmente.

Il trattore non aveva niente per disinfettare le ferite, si scusava in continuazione mentre Paolo fasciava le mani di Ursula con un tovagliolo pulito.

«È la gatta di casa... Non ha mai fatto così... Chissà che le ha preso...»

Tornarono di corsa nel cascinale, Paolo aprì un armadietto di pronto soccorso, disinfettò le ferite, applicò i cerotti.

E subito dopo, senza sapere come, si trovarono abbracciati a baciarsi con passione.

Quel giorno non andarono oltre. Ursula aveva fatto troppo tardi. Doveva rientrare. Ma due giorni dopo, lei andò a trovarlo nel suo appartamento e diventarono amanti.

La prima notte che riuscirono a dormire insieme, Ursula, dopo aver fatto l'amore, s'addormentò felice e appagata tra le braccia di Paolo. E questi, dopo un po', sentì che Ursula faceva un leggerissimo ronron. Pareva proprio una gatta.

Da quel momento, cominciò a notare di lei alcune cose singolari. Per esempio, i suoi gusti in fatto di cibo. Rifiutava insalata, verdure, frutta. Le bistecche dovevano grondare sangue, il pesce crudo era uno dei suoi piatti preferiti. Compitissima, alla fine del pranzo, quando pensava di non essere veduta, tirava fuori la punta della lingua e se la passava rapidamente attorno alle labbra. Subito appresso, faceva un largo sbadiglio che tentava invano di nascondere dietro il tovagliolo.

Quando erano a letto, tra i preliminari amorosi lei pretendeva una lunga grattatina sulla schiena che arcuava per il piacere.

Un giorno lui pretese da lei la stessa cosa e, con suo sommo stupore, ne provò un piacevole gradimento. Poi, a poco a poco, cominciò a essere contagiato dai suoi gusti. Si convinse ad assaggiare il pesce crudo, mai mangiato prima, e gli piacque. Iniziò a farsi preparare la bistecca sempre meno cotta.

Nell'intimità, si chiamavano micio e micia. Certe volte, quando Paolo si metteva in poltrona, Ursula saltava sulle sue ginocchia e si acciambellava, facendosi lisciare i capelli.

Il pomeriggio, se restava tempo, andavano al cinema in quartieri periferici in modo da evitare incontri inopportuni.

Una volta, al centro di una piazza, videro il tendone di un circo povero, che vantava sui manifesti la presenza di un leone. Ursula volle andarci. Trovarono due posti in prima fila.

Dopo qualche numero di poco conto, montarono la gabbia della belva, la spinsero dentro, e quindi fece il suo ingresso il domatore. Ma la bestia fin da subito si dimostrò disubbidiente e distratta. Annusava l'aria, si guardava nervosa attorno. Inutilmente il domatore alzava la voce e faceva schioccare la frusta.

Poi il leone individuò Ursula, si mosse verso di lei lentamente, la sua testa toccò le sbarre, s'accucciò con gli occhi fissi su di lei in adorazione. E non ci fu verso di smuoverlo più.

La gente cominciò a fischiare, non capiva quello che stava succedendo, il numero venne interrotto ma ci volle del bello e del buono per costringere l'animale a uscire dalla gabbia.

Prima che lo spettacolo finisse, Ursula volle andarsene.

Ma appena fuori, si diresse nel retro, dove c'erano i carrozzoni.

Il leone era lì, dentro la sua gabbia. Non c'era nessuno del personale del circo, tutti erano impegnati nel gran finale.

Ursula, sotto lo sguardo atterrito di Paolo, corse alla gabbia, il leone la sentì arrivare, s'accucciò, la ragazza passò il braccio attraverso le sbarre, gli fece una lunga carezza sulla testa.

Allora il leone strisciò fino a far sporgere la punta dal naso tra una sbarra e l'altra. Ursula glielo baciò e poi tornò verso Paolo. Grosse lacrime le scorrevano sul viso.

Quella sera stessa, Paolo, a letto da solo, prese una decisione.

Avrebbe fatto il possibile perché Ursula lasciasse Silvio e andasse a vivere con lui. Tanto, a stare a quello che gli aveva confidato la ragazza, la loro storia ormai agonizzava.

Voleva sposarla, averla al suo fianco per tutta la vita.

«O almeno» concluse «fino a quando lei non deciderà di sbranarmi.»

Venere

Ci vuole una buona dose d'incoscienza da parte dei genitori nel chiamare Venere la propria figlia.

Al momento del conferimento del nome ogni neonata, diciamolo francamente, non è che un esserino alquanto rugoso i cui tratti stanno a metà strada tra la ranocchia e la scimmietta.

È cosa ardua profetizzarne l'evoluzione. E comunque, vuol dire condannarla al dileggio se diventerà appena appena passabile. Chiamarla Venere significa caricarle sulle spalle una responsabilità alla quale dovrà attenersi per tutta la sua futura esistenza: quella di essere sempre all'altezza del nome che porta. Esistenza che, tra l'altro, dovrebbe avere breve durata, considerato che non si è mai vista una Venere con le rughe.

Nel caso della Venere che Marco conobbe, si deve sospettare che i genitori di lei fossero dotati del dono della divinazione, perché la loro figlia, a vent'anni, era non solo decisamente più che bella, ma in possesso di un corpo magnetico che attirava tutti i maschi dai sedici agli ottanta anni presenti in un raggio di un centinaio di metri. Era quella che dalle mie parti viene, in maniera brutale ma efficace, definita come "una femmina da letto".

La prima volta che Marco la vide, ma di sfuggita, fu a Firenze, in piazza della Signoria, al centro di un cerchio formato da una decina d'uomini di età varia. La ragazza stava disinvoltamente scherzando con loro, non riuscì a udire in che lingua, e Marco si convinse, quando lei si mosse attorniata dal gruppo, che si trattava di una guida turistica.

Quella sera stessa andò alla stazione per prendere il treno notturno che veniva da Milano e che l'avrebbe riportato a Siracusa. C'era stato uno sciopero delle ferrovie durato due giorni, quello era il primo treno che andava verso sud. Le vetture straripavano di viaggiatori, il solo salirvi costituiva un'impresa. Per fortuna Marco aveva solo una valigetta. Dopo di lui in quello scompartimento non riuscì a entrare più nessuno. Marco stava in piedi avendo alle spalle lo sportello e davanti a sé due signore grasse e urlanti, decise, per misteriose ragioni, a farsi largo e a raggiungere il corridoio. Dopo un po', mentre il treno si muoveva, ci riuscirono. Ma questo non significò la conquista di un maggiore spazio, perché ora Marco si vide apparire e spingere contro una ragazza, nella quale subito riconobbe la guida turistica intravista in piazza della Signoria. Tutto il corpo della ragazza era costretto ad aderire al suo, come talvolta capita sui tram nelle ore di punta. Ma qui non si trattava di qualche fermata. Il ventenne Marco era terrorizzato che quell'eccitante contatto suscitasse in lui inopportune reazioni. Anche la ragazza doveva essere imbarazzata, perché si ostinava a tenere la testa girata di lato per non guardarlo in faccia. Lui pensò che forse, se si fossero parlati, la tensione si sarebbe allentata.

«Mi deve scusare» disse, «ma non riesco proprio a farle più spazio.»

«Lo capisco» disse lei.

E finalmente lo guardò. Occhi azzurri, bellissimi, un lago dentro il quale lui rischiò d'annegare.

«Mi... mi chiamo Marco.»

«Io, Venere.»

Trasecolò. Era la prima volta che conosceva una ragazza con quel nome. E ne era degna.

«Fa la guida turistica?»

«Io? No, perché?» domandò lei stupita.

«Oggi l'ho vista da lontano in piazza della Signoria con degli uomini...»

«Ah, quelli. Ma neppure li conoscevo! Mi si erano messi dietro. No, sono di Catania, studio all'università. Ho fatto una scappata a Firenze perché... volevo vedere la *Venere* di Botticelli. Ho sempre camminato, sono stanca morta. Speravo di poter viaggiare seduta, ma...»

Fece una pausa. Poi domandò timidamente:

«Posso chiederle un favore? Non vorrei però che lei equivocasse».

«Ma si figuri! Mi dica.»

«Non riesco più a reggermi in piedi. Mi tiene?»

«Come?»

«Così.»

Gli mise le braccia sulle spalle, le intrecciò attorno al suo collo, si abbandonò. Marco la sorresse con le mani dietro la sua schiena tenute per i polsi. Poi appoggiò le spalle al finestrino e allungò in avanti le gambe. Così il suo corpo assunse una posizione obliqua, in modo che Venere poggiasse il più possibile sopra di lui. E Venere, che indossava una gonna leggera e ampia, allargò le gambe tenendo quelle di Marco tra le sue e, poggiando sui piedi ben bene, lentamente s'addormentò. Dopo una mezzora Marco cominciò a sentirsi dolorante, e fece un movimento per aggiustarsi meglio. Venere scivolò in giù e Marco dovette bloccarla tenendola con le mani più in basso.

Fu così che ebbe modo di constatare come l'aggettivo "callipigia" attribuito alla dea Venere si addicesse perfettamente a quella Venere terrestre. Un dolcissimo supplizio che durò fino a Roma.

Qui, tra urla e spintoni, scesero alcuni passeggeri e ne salirono altri. Marco con la sua valigetta e Venere con il suo borsone a sacco, si ritrovarono esattamente come prima, ma nel finestrino di fronte. Sotto al quale stava piazzata per lungo una grossa valigia di legno, forse contenente strumenti. Marco ci fece sedere sopra Venere, nessuno dei viaggiatori protestò, forse il proprietario era lontano.

Marco si mise davanti alla ragazza. Lei, che aveva ancora sonno, sbadigliò, gli appoggiò la fronte sulla pancia e tornò ad addormentarsi.

Per non farla cadere di lato, Marco la teneva dritta con le mani sulle sue spalle.

A Napoli ci fu un nuovo trambusto, ma nessuno riuscì a

salire dalla loro parte, ostruita dal valigione. Ripartirono. Ma
stavolta Venere si alzò in piedi, pretese che Marco si sedesse
al suo posto.

«E tu?»

«Io, se non hai niente in contrario, mi seggo sulle tue ginocchia.»

Marco disse che non aveva nulla in contrario. E lei così
fece, si sedette voltandogli le spalle. Marco la teneva con le
mani strette sul ventre di lei.

Lei stava con le spalle appoggiate al suo petto.

A Paola nuovo subbuglio che portò a una maggiore restri-
zione dello spazio.

Marco si alzò, voleva cedere il posto a Venere. Ma non ci
fu verso di persuaderla.

«Ti do molto fastidio se mi rimetto sulle tue ginocchia?»

«Ma dài!»

Venere si risedette, ma stavolta mettendosi di faccia a lui, a
cavalcioni. Marco la strinse da dietro la schiena. Lei appoggiò
la fronte sulla sua spalla e tornò a dormire. A poco a poco
Marco cadde nel dormiveglia.

L'odore dei capelli di Venere agiva come un narcotico.

A un certo momento, confusamente, capì che stavano im-
barcando il vagone sul traghetto. Aveva voglia di un caffè,
ma non voleva disturbare la ragazza.

Si svegliarono contemporaneamente alle prime luci dell'alba. Si sorrisero. Si alzarono in piedi. I viaggiatori attorno a
loro dormivano. Poco dopo il treno si fermò. La stazione era
dalla parte opposta.

Dal loro finestrino potevano vedere una ripida discesa che portava a una spiaggetta. Il mare era così tranquillo da parere dipinto. Venere abbassò il vetro e inspirò profondamente. Poi prese il borsone, aprì lo sportello.

«Vieni?» domandò a Marco mentre scavalcava il valigione. Marco non ci pensò un attimo, agguantò la sua valigetta e la seguì. Mentre scendevano per il pendio, sentirono il treno ripartire.

Arrivarono alla spiaggetta deserta. Da laggiù la stazione non era visibile. Venere in un attimo si spogliò nuda, corse in acqua, diede qualche bracciata, tornò a riva.

E a Marco, uomo mortale, fu dato d'assistere al miracolo dell'immortale dea Venere sorgente dalle acque e illuminata dai primi raggi del sole.

Fu lei ridendo a spogliare Marco, rimasto intontito da quella visione, a trascinarlo per mano in mare. L'acqua era gelida, ma lui, stranamente, non sentì freddo.

Tornarono a riva, ma Venere aveva adocchiato una incavatura nel terreno, una specie di grotta. Vi condusse Marco, lo fece distendere accanto a sé. Poi la dea Venere, che mai nell'eternità si era perduta un'occasione d'amore, gli sussurrò all'orecchio:

«E ora facciamo davvero tutto quello che stanotte abbiamo mimato».

Winnie

È un'amabile signora cinquantenne, paffutella, ancora bionda, sposata a Willie, un compìto sessantenne, di scarse parole, quasi sempre immerso nella lettura del giornale.

Willie, al cicaleccio continuo della moglie, risponde a monosillabi o con piccole citazioni tratte dal giornale.

Se l'ascoltassimo alla radio, sentiremmo il banale e inconcludente dialogo tra due vecchi coniugi che immagineresti benissimo seduti nel salotto di casa davanti al camino acceso. Invece, se lo senti a teatro e vedi la situazione in cui esso si svolge, ogni parola acquista il peso di una sottile e oscura angoscia.

Samuel Beckett infatti questi due unici personaggi della sua commedia *Giorni felici* li ha voluti ambientare in un similnulla, costituito da uno spazio sabbioso con al centro una duna dalla quale emerge a metà Winnie, che è impossibilitata quindi a camminare.

Suo marito, che invece può muoversi ma solo strisciando, ha il cranio sfondato e vive in una cavità della duna alle spalle di lei, sicché Winnie, essendo semisepolta, per vederlo di sguincio, è costretta a contorcersi.

Questi due personaggi sono tipicamente beckettiani, come ad esempio Nagg e Nell, il padre e la madre di Hamm, in *Finale di partita*. I due genitori, impossibilitati a muoversi, vivono ognuno dentro un contenitore di rifiuti i cui coperchi vengono sollevati solo quando è l'ora della "pappa". A sua volta Hamm è cieco e paralitico, mentre il suo servo-figlio Clov è condannato a un movimento perpetuo. Altri personaggi sono larve o esseri striscianti dentro tubi bui. E non c'è mai un perché, una spiegazione, un "prima". Essi sono così e basta, esistono in quanto metafore viventi di una degradazione della condizione umana.

L'allucinata potenza visionaria di Beckett, che ha ben guardato anche nei minimi dettagli Bosch e Brueghel, i ciechi, gli storpi, gli ebeti, i tronchi umani che si muovono su rozze piattaforme dotate di ruote, ha portato all'estreme conseguenze la lezione ricevuta.

Torno a Winnie e Willie. L'inizio e la fine delle loro giornate sono scandite dal suono sgradevole di un campanello.

Winnie ha a portata di mano tutto quello che le occorre, vale a dire una grossa sporta che contiene molti oggetti, tra i quali un dentifricio, uno spazzolino da denti, un pettine, un rossetto e una limetta per unghie. Possiede pure un ombrellino parasole e una rivoltella che ogni tanto accarezza.

E possiede anche la capacità di monologare ininterrottamente su qualsiasi cosa le passi per la testa, anche se maschera il monologo in un dialogo con l'impassibile Willie.

Winnie è una donna estremamente felice.

Infatti, quando il campanello la sveglia, la sua prima frase è: «Un altro giorno felice!».

È profondamente convinta che ogni giorno sia un giorno felice, nonostante tutto quello che potrà capitare.

Ma che può capitare in quella situazione?

Capita invece qualcosa e lo si vede all'inizio del secondo atto.

Ora Winnie è sprofondata di più. Adesso ne emerge solamente la testa. Ma lei continua a vedere rosa e a cicalare, anche se si lamenta di non essere più in grado d'usare gli oggetti della sporta e di non potersi voltare per vedere il marito.

Il che rende un po' più monotone le sue giornate.

Allora sarà Willie a uscire dal suo buco e a strisciare fino a lei vestito di tutto punto. E Winnie, contemplandolo con amore, esprimerà la sua gioia canticchiando un motivetto.

Il personaggio di Winnie mi ha sempre affascinato, intrigato.

Tutti i personaggi di Beckett sono di ardua decrittazione e su di loro sono stati scritti una gran quantità di libri e di saggi in molte lingue del mondo.

La domanda più ovvia e in fondo più logica che il lettore sprovveduto, o lo spettatore, si pone, è quella se Winnie abbia o meno coscienza della tragica situazione nella quale si trova a vivere.

Io, accettando di malavoglia di metterla su questo piano, direi di sì, perché nel secondo atto lei ha piena coscienza del mutamento in peggio intervenuto.

Allora, in questo caso, Winnie, secondo alcuni, rappresen-
terebbe la quintessenza della fatuità femminile. Tutto il suo
universo sarebbe costituito dal rossetto e dal pettine.

Ma altri controbattono che invece si tratta della quintessenza del coraggio femminile e proprio per le stesse ragioni. È,
in fondo, la scelta registica di Strehler che ha fatto di Winnie
il simbolo di un'ostinata volontà di vita.

Però, andando avanti di questo passo, allora *Giorni felici*
sarebbe un inno all'amore coniugale perché Willie, visto che
Winnie non può più vederlo, striscia fino a lei.

Credo invece che una chiave interpretativa ci possa esser
data dagli oggetti che sono presenti in scena. Gli oggetti in
Beckett hanno un'importanza fondamentale. Non ce n'è uno
che non abbia ragion d'esserci. Una studiosa, ad esempio, ha
dimostrato come tutti gli oggetti di scena di *Finale di partita*,
né uno di più né uno di meno, siano compresi in un'incisione
di Dürer.

Allora, certo, rossetto, pettine, limetta, spazzolino da denti,
sono oggetti congrui, possono trovarsi nelle borse di tutte
le donne.

Ma la rivoltella? Winnie dice che l'ha levata al marito.

Ma perché ogni tanto l'accarezza? Attenzione, non la tocca
per caso, la prende volontariamente e l'accarezza.

Non si può far finta di niente, ignorarla. Non fa parte di
un'altra commedia. L'arma esiste, viene mostrata e, soprattutto, accarezzata.

Una volta ho fatto una specie di referendum tra le mie
allieve dell'Accademia d'Arte Drammatica. Ho avuto risposte

stupefacenti. Una addirittura mi disse che Winnie vedeva nell'arma il simbolo della virilità di Willie e perciò...

Io ho una mia opinione. Che *Giorni felici* sia un dramma filosofico, la tragedia, diciamo così, del libero arbitrio. L'arma è il mezzo che dà la possibilità di scelta.

Lascio aperta la questione.

Ma qualunque interpretazione se ne potrà dare, Winnie resterà sempre, ne sono certo, l'espressione più affascinante di quell'enigma irrisolvibile che è la donna.

Xenia

Un giorno Paolo ricevette una telefonata da un suo collega e amico, Piero, che aveva uno studio dentistico a Varese. Lo invitava al solito ristorante l'indomani sera. Paolo accettò, anche perché era da circa cinque mesi che non si vedevano. Piero capitava ogni tanto a Milano e, se potevano, andavano a cena insieme.

In quelle occasioni, immancabilmente, il loro primo argomento cadeva sui ricordi dei tempi dell'università, erano stati compagni di corso, poi passavano a parlare del loro presente.

Ambedue non si potevano lamentare della carriera che avevano fatto. Poco più che quarantenni erano, rispettivamente a Milano e a Varese, titolari di lussuosi studi affermati, avevano una ricca ed esclusiva clientela e possedevano un ottimo conto in banca.

Quindi il presente nei loro discorsi era costituito dalle donne.

Piero era sposato e padre di un figlio di cinque anni, ma era un impenitente donnaiolo e raccontava all'amico le sue numerose avventure; Paolo invece era scapolo, però aveva una lunga e travagliata relazione con una signora sposata e di cui si credeva innamorato. E anche lui confidava all'altro le sue pene d'amore.

Quella sera Piero saltò i preliminari ricordi universitari e arrivò subito al presente.

Raccontò all'amico come più di quattro mesi prima gli fosse comparsa in studio un'apparizione di sogno, una venticinquenne ucraina di nome Xenia, alta, capelli color grano maturo, gambe lunghe e perfette, seni che era meglio non ripensarci, la quale gli aveva consegnato una lettera del professor Panzani, che era stato loro docente all'università e col quale Piero si era mantenuto in buoni rapporti. Il professore chiedeva all'ex allievo il favore di assumere la ragazza, figlia di un collega ucraino suo amico, quale assistente alla poltrona, in attesa che si diplomasse come igienista dentale. Xenia esibì il permesso di soggiorno e altri documenti tutti in regola, comprese le entusiastiche attestazioni di tre studi dentistici, due ucraini e uno italiano, dove la ragazza aveva in precedenza prestato la sua opera.

Piero l'avrebbe assunta anche se, condannata all'ergastolo per strage terroristica, fosse evasa da un carcere di massima sicurezza.

A farla breve, Xenia, una settimana dopo aver preso servizio, varcava la soglia del discreto appartamentino da Piero affittato all'uopo.

E da quel momento ne era diventata l'unica visitatrice, perché, come spiegò Piero all'amico, in primo luogo di lei si era innamorato follemente e ne veniva ricambiato sia pure con un grado di minor follia, e in secondo luogo perché nell'intimità Xenia era esaustiva. Un, diciamo così, colloquio con lei ti lasciava almeno ventiquattr'ore completamente afono.

Inoltre, frequentandola, Piero aveva scoperto in lei altre virtù, quali la dolcezza del carattere, la bontà, l'altruismo, il disinteresse e soprattutto un agire sempre improntato alla massima lealtà. Non solo una splendida amante, dunque, ma una compagna sulla quale poter contare.

Tutto era filato liscio fino a tre giorni prima.

Un cumulo di circostanze avverse aveva fatto sì che i due per circa una settimana non avessero potuto incontrarsi. Quella maledetta sera Piero congedò l'addetta al ricevimento dei pazienti, che era in possesso della chiave dello studio, dicendole che avrebbe provveduto lui a chiudere. Appena rimasero soli, i due provvidero a soddisfare immediatamente la fame arretrata sul divano della camera d'attesa.

Non sapevano che il destino tramava contro di loro.

La moglie di Piero si era infatti accorta che il marito aveva dimenticato le chiavi a casa e quindi si preoccupò di portargliele di persona dato che la loro abitazione era poco distante.

Arrivò, aprì, entrò, vide, urlò, svenne.

La conclusione fu l'immediato licenziamento di Xenia.

«E ora» disse Piero «entri in ballo tu. Faccio appello alla nostra amicizia. Assumi tu Xenia. Ma la devi tenere con te, come tua assistente alla poltrona. Di te mi fido. Io intanto mi organizzo in modo di poterla venire a trovare qui a Milano almeno una volta la settimana. Guarda, sono disperato. Non posso lasciarla.»

E aggiunse, cupo in viso:

«In caso contrario, sono deciso ad abbandonare moglie e figli e ad andarmene a vivere con lei».

Paolo accettò, più che altro nel timore che l'amico mandasse a rotoli la famiglia. Rimasero d'accordo che Piero si sarebbe fatto vivo al massimo entro quattro giorni.

Il giorno appresso Xenia si presentò allo studio. Era addirittura più bella di come Piero l'aveva descritta.

Da subito, la presenza di Xenia operò un notevole cambiamento nel comportamento dei pazienti.

Paolo notò che quelli che sapeva essere tra i più paurosi e apprensivi, quelli che bastava il rumore del trapano per mandarli in un bagno di sudore, appena Xenia sorridente si chinava per metter loro il bavaglino, portando di necessità l'ampia scollatura a pochi centimetri dai loro occhi, assumevano un atteggiamento intrepido, di gente rotta a tutto.

Viceversa i più coraggiosi ora si comportavano da bambini, pretendendo che Xenia facesse loro sciacquar la bocca prima riempiendosela dal bicchiere tenuto da lei e dopo sputavano nella bacinella mentre lei sorreggeva loro la testa.

Dopo sei giorni che non riceveva notizie di Piero, Paolo ne domandò a Xenia. La quale gli rispose che neanche lei ne sapeva niente. Aggiunse che Piero si era raccomandato che lei non lo chiamasse. Rimase interdetto. Non gli pareva un agire coerente a una cieca passione. Cosa poteva essere accaduto? Perciò l'indomani mattina telefonò a Varese, allo studio di Piero.

E quello, affannosamente, gli spiegò che non poteva muoversi, che la moglie lo teneva sotto stretto controllo, che aveva delle sue spie anche sul posto di lavoro, che aveva minacciato il divorzio, che questa eventualità avrebbe significato la rovina perché i soldi per lo studio glieli aveva dati la moglie, che per carità dicesse a Xenia di pazientare, che avrebbe prima o poi trovato una soluzione...

Con molta cautela, Paolo riferì tutto a Xenia. La quale lo guardò, gli sorrise e disse:

«Me l'aspettavo. Non rischierà mai più di litigare con la moglie».

Non pareva addolorata, anzi. Proseguì:

«Come dite voi in Italia? Morto un papa se ne fa un altro».

E lo baciò teneramente all'angolo della bocca. Indugiando un po' più del giusto.

Così Paolo capì d'essere diventato papabile.

Per qualche giorno si mostrò indifferente, anche perché gli pesava fare un torto a Piero. Ma non riusciva a dimenticare la carezza di quelle morbide labbra sulla sua pelle.

Poi, nemmeno a farlo apposta, cinque giorni dopo quel bacio la situazione con la donna della quale si credeva innamorato precipitò per ragioni risibili. Corsero parole grosse che non credevano potessero uscire dalle loro bocche. Si lasciarono.

Contemporaneamente, anche la situazione con Xenia precipitò, ma in senso inverso.

Ogni giorno che passava Xenia si dimostrava sempre più affettuosa, tenera, attenta, si distraeva a guardarlo, gli sorrideva, faceva in modo di sfiorarlo come a fargli sentire fisicamente la sua presenza.

Finché Paolo, vinto, abbassò la guardia. La invitò a cena e poi a bere qualcosa a casa sua. Dopo quella notte non si lasciarono più.

Poi, un mese dopo che stavano insieme, Paolo le chiese di sposarlo.

Ma Xenia rifiutò.

Paolo, disperato, voleva saperne le ragioni.

Xenia si ostinò nel rifiuto.

Alla fine la vinse Paolo.

Xenia gli disse che lo faceva per lealtà nei suoi riguardi, lui non se n'era accorto, ma lei era incinta. Doveva essere stato l'ultima volta che si era vista con Piero, quella maledetta notte nello studio.

Per Paolo fu un brutto colpo, ma nello stesso momento in cui Xenia gli faceva quella rivelazione egli capiva che non avrebbe potuto vivere senza di lei.

Si sposarono civilmente dopo tre mesi, alla presenza dei soli testimoni.

Lo stesso giorno del ritorno dal breve viaggio di nozze, nel pomeriggio Paolo passò dallo studio che aveva affidato a un collega.

Aveva detto a Xenia che sarebbe tornato verso le otto per portarla fuori a cena. Invece tornò con un'ora d'anticipo.

Entrò, sentì Xenia che parlava al telefono.

«Non te l'avevo detto che avrebbe funzionato? Ora è lui ufficialmente il padre del bambino. Tutto è a posto. Piero, amore mio, quando ci vediamo? Io, a stare così a lungo senza di te mi sento morire.»

Yerma

Quand'ero bambino e stavo per lunghi periodi in campagna coi nonni, ogni venerdì mattina immancabilmente vedevo comparire nel baglio una vecchia cenciosa, sporca, tutta vestita di nero, che veniva a chiedere l'elemosina.

Per la verità non chiedeva niente, appena entrata s'appoggiava allo stipite del grande portone ferrato e se ne restava lì, immobile, silenziosa, la testa abbassata, lo scialle tirato in avanti fino a coprirle il volto. Credo di non essere mai riuscito a vederla in faccia.

Nessuna delle donne presenti nel baglio, contadine o cameriere, la salutava, ma una delle due donne di servizio si precipitava ad avvertire nonna Elvira che "chiddra ddrà", quella là, era arrivata. Non ne pronunziavano il nome. E dire che degli altri mendicanti che da lì a poco sarebbero cominciati a sfilare conoscevano nomi e soprannomi.

Ogni venerdì mattina e ogni domenica, dal paese arrivava un prete che veniva a celebrare la messa nella nostra cappella e alla quale assistevano non solo nonna e i suoi famigliari, ma anche le domestiche e le contadine che lo desideravano.

Però, il venerdì, andato via il prete, iniziava un'altra cerimonia, quella dell'elemosina celebrata da nonna Elvira. Lei sedeva all'ombra vicino al portone del baglio, accanto aveva un tavolino coperto di scodelle di minestra calda, sulle ginocchia teneva un sacchetto di pelle pieno di spiccioli.

«Baciamulimani, donna Ervì» diceva il primo della fila avvicinandosi.

«Ti saluto, Totò.»

Pigliava un po' di spiccioli dal sacchetto, li depositava sopra il palmo del questuante.

«Mangiati tanticchia di minestra, Totò.»

Faceva un cenno, una delle cameriere porgeva una scodella. Avanzava il secondo della fila.

Ma quando la cerimonia era terminata e suo marito e i suoi figli e io andavamo a pranzo, il suo posto rimaneva vuoto. Avrebbe digiunato offrendo al suo Dio quel digiuno perché facesse diminuire i morti di fame di tutta la terra.

Con chiddra ddrà invece non voleva avere contatti diretti. Poiché la mendicante si presentava assai prima della cerimonia, nonna preparava per lei qualche spicciolo e una forma di pane da un chilo e consegnava il tutto a una cameriera che lo recapitava. La vecchia si metteva in tasca il denaro, prendeva il pane, voltava le spalle e se ne andava, senza ringraziare e nemmeno salutare.

Avevo dodici anni quando chiddra ddrà non venne più. Capii che non era il caso di parlarne con la nonna e ne domandai notizie a una cameriera.

«Morse» mi rispose.

«Di vicchiaia?»

«Nonsi, morse malamenti. S'appinnì a un arbolo.»

Si era suicidata impiccandosi a un albero.

Ricordo lucidamente che ne rimasi sconvolto. Perché quella donna mi faceva molta pena, quando la guardavo appoggiata allo stipite del portone in attesa. Un giorno vidi uno dei cani che le s'avvicinava, l'annusava, poi alzava una gamba e le pisciava sopra un piede. Non si mosse.

E poi nonna, così buona e caritatevole con tutti, perché la trattava in quel modo?

Fu Minicu, il mezzadro, che non resistendo più alle mie insistenze, me ne raccontò sommariamente la storia.

Chiddra ddrà, anche lui la chiamò così perché se n'era dimenticato il nome, si era sposata a diciotto anni con un contadino bravo e lavoratore che si chiamava Neli. Dopo tre anni di matrimonio, la coppia non aveva ancora avuto figli. Allora chiddra ddrà si era rivolta a una maga fattucchiera la quale le aveva rivelato che non era lei ad essere sterile, ma il marito. La conseguenza era stata che chiddra ddrà aveva cominciato ad odiarlo, andava in giro dicendo che era stata ingannata da Neli, che lei si era sposata per fare figli non per preparare il mangiare a un uomo che non era nemmeno uomo.

Sosteneva che Neli l'aveva menomata perché una femmina maritata che non fa figli per colpa del marito è una alla quale è stato negato il diritto d'essere madre. E una donna se non è madre, che cos'è? Un albero da frutta che non dà frutti, una nullità, un pezzo di legno buono solo da ardere.

Allora, secondo Minicu, «accomenzò a niscirici 'u sensu», iniziò a sragionare.

Un giorno si recò dalla fattucchiera e, pagandolo profumatamente coi risparmi messi da parte a questo scopo, si fece dare un potente veleno che non lasciava tracce.

Che non esitò a mettere nella minestra del marito.

Neli morì, il maresciallo dei carabinieri ebbe qualche sospetto, ma l'autopsia parlò solo d'arresto cardiaco.

Passato il lutto, chiddra ddrà si fidanzò con un vedovo con due figli. Diciamo, con un uomo sul quale non esisteva dubbio che fosse capace di procreare. Ma non riuscì a sposarlo perché intanto la fattucchiera, arrestata per aver fatto morire una ragazza facendola abortire, confessò d'aver dato il veleno a chiddra ddrà. La quale durante il processo non disse una parola in sua difesa.

Venne condannata a trent'anni, senza attenuanti. Molto probabilmente se avesse assassinato il marito perché innamorata di un altro uomo, la pena sarebbe stata più mite.

Scontata interamente la pena e rimessa in libertà, nessuno volle darle un lavoro, nemmeno il parroco. Si ridusse a elemosinare.

Questa storia me la portai dentro a lungo. Poi un giorno lessi *Yerma* di Federico García Lorca, un dramma che tratta una storia simile, però sollevandola ad altezze mitiche e liriche.

E da allora, chiddra ddrà, finalmente per me ebbe un nome. Yerma, appunto.

Zina

Ero sul traghetto Napoli-Palermo, avevo cenato e sentivo una gran voglia di riempirmi i polmoni d'aria salina. Sono nato e ho vissuto per oltre vent'anni in una casa a qualche centinaio di metri dal mare, certe notti d'inverno il rumore delle onde arrivava fin dentro la mia camera da letto e mi faceva da ninnananna. Ero stato troppo a lungo in città, a inalare smog. Così uscii fuori, c'era vento, trovai un punto riparato, mi sedetti sopra una specie di cassapanca piena di salvagenti, mi accesi una sigaretta.

Ero solo, qualcuno faceva ogni tanto un tentativo di passeggiata sul ponte ma il vento ci metteva poco a dissuaderlo. Mi misi a pensare ai fatti miei e persi la nozione del tempo. A un tratto m'accorsi che era da poco passata la mezzanotte. Rientrai, scesi una rampa di scale, passai davanti all'ufficio commissariato il cui sportello era ancora aperto e stavo per imboccare la seconda rampa che m'avrebbe portato nel corridoio dove c'era la mia cabina, quando mi fermai. Davanti allo sportello, al di là del quale stava il commissario di bordo, c'era una ragazza in lacrime che supplicava:

«Per favore! Per carità!».

Lo spettacolo non era consueto. Finsi d'immergermi nella lettura di un manifesto che conteneva consigli per i viaggiatori. Il commissario guardava comprensivo la ragazza, ma scuoteva negativamente la testa.

«Mi creda, signorina, se potessi... Ma il regolamento in proposito è molto rigido. Nessun passeggero può scendere nel sottoponte una volta che la nave è partita.»

«Ma io devo andare a prendere una cosa che ho dimenticato in macchina!»

Il commissario allargò le braccia. La ragazza ormai piangeva senza ritegno.

«Mi faccia accompagnare da un marinaio, allora!»

«Neppure questo è possibile.»

La ragazza si coprì il volto con le mani. Le sue spalle sussultavano per i singhiozzi. Il commissario era imbarazzato.

«Se non sono indiscreto, posso chiederle cosa ha dimenticato?»

«Un sonnifero. Mi occorre per dormire. Se non lo prendo non dormo. E se m'addormento per qualche minuto ho incubi orribili. E il giorno dopo non capisco niente, sono frastornata, e domani devo guidare a lungo...»

«Mi vuol dire il nome di questo sonnifero?»

La ragazza glielo disse. Pronunciò quel nome come chi, arso dalla sete in un deserto, invoca l'acqua. Un suono straziante.

«Vado a vedere se per caso...» disse il commissario scomparendo.

La ragazza si mise a pregare, mani giunte, sguardo rivolto

al crocefisso appeso a una parete dell'ufficio. L'uomo tornò, disse desolato:

«Mi dispiace. Nella cassetta medicinale non c'è. Mi scusi».

E chiuse lo sportello. Le gambe della ragazza cominciarono lentamente a piegarsi. Corsi, l'afferrai per la vita. Mi guardava, ma non mi vedeva.

«Glielo do io.»

Non capì, stentò a mettermi a fuoco.

«Che ha detto?»

«Che glielo dò io.»

«Dice sul serio?»

«Sul serio.»

«Allora me lo dia.»

«Ma non ce l'ho qui con me. Ce l'ho in cabina. Venga, mi segua.»

Non si mosse guardandomi diffidente. Capii cosa stava pensando.

«Va bene» dissi, «mi aspetti qua. Glielo porto.»

«Vengo con lei» fece.

Non voleva perdermi di vista. Di certo era convinta che il mio era un pretesto per portarmela in cabina, ma se per caso avessi detto la verità?

La mia cabina era l'unica con la porta chiusa. Le altre erano aperte e mostravano ragazzi e ragazze che, parlando ad alta voce in americano, bevevano, sghignazzavano, e ogni tanto s'inseguivano lungo il corridoio.

Entrai, lei restò sulla soglia. Afferrai la valigia piccola, la misi sul tavolinetto, l'aprii, presi la confezione del sonnifero.

Lei riconobbe la scatolina, fece un grido, si precipitò, s'inginocchiò e cominciò a baciarmi le mani. Due o tre americani s'accorsero della scena, chiamarono gli altri.

«Chiuda la porta!» intimai alla ragazza.

Lei si alzò, chiuse la porta a chiave. Io le mostrai la confezione, tenendola tra due dita, solo per sapere se le pillole erano dello stesso dosaggio di quelle che prendeva lei.

«Va bene, va bene» mi disse con un tono che mi suonò strano, non appropriato. Era un tono rassegnato.

Mi voltai, aprii la confezione, presi una pillola, la posai sul tavolinetto, richiusi la confezione, la rimisi dentro la valigetta, mi voltai.

La ragazza si era spogliata nuda, i suoi indumenti per terra.

«Ma che fai?»

«Non volevi cambio?» domandò stupita.

Mi ero accorto del suo accento straniero, che ora però controllava di meno.

Mi sentii offeso. Per chi mi prendeva? Aveva equivocato sul mio gesto, quando le avevo mostrato la confezione. Le dissi che non volevo cambio. Perplessa, si rivestì.

«Cosa vuoi allora?»

«Niente.»

Stava immobile, disorientata, non sapeva che fare. Poi si decise.

«Posso?» domandò allungando la mano verso la pillola.

L'inghiottì senza bisogno d'acqua. Sorrise. Doveva avere meno di trent'anni, molto carina, un corpo appetibilissimo.

«Hai tu sonno? Posso tenere compagnia fino a quando non fa effetto?»

Mi raccontò la sua vita. Si chiamava Zina e veniva da un paese dell'Est. Faceva la governante (allora il termine badante non era ancora in uso) di un vecchio che in quel momento dormiva in un'altra cabina. Il vecchio la pagava bene, ma pretendeva da lei ogni sera una cosina. Capivo? Capivo. Figlia di contadini, il padre l'aveva violentata che aveva quattordici anni, lo stesso aveva fatto il fratello maggiore e dopo un po' anche quello minore. Era l'unica donna in casa, la madre era morta anni prima. Per racimolare il denaro e scapparsene, aveva subìto tutte le brutalità possibili e immaginabili. Poi, in Italia, era sempre stato un "fare cambio", continuo, ininterrotto, per ottenere il visto d'entrata, il permesso di soggiorno, per trovare un'abitazione, per trovare un lavoro... Spesso era stata truffata, avevano voluto che desse in anticipo, poi non avevano fatto cambio.

Quella era la prima volta che riceveva una cosa senza fare cambio.

«Forse questo buon augurio» sospirò alzandosi.

Mi prese la mano, me là baciò, mi guardò.

«Ti voglio bene» disse.

E se ne andò.

Nota dell'Autore

Questo libro è un parziale catalogo delle donne, realmente esistite nella Storia o create dalla letteratura, e di altre che ho conosciute e di altre ancora di cui m'hanno raccontato, le quali, per un verso o per l'altro, sono rimaste nella mia memoria.

Esso non ambisce quindi ad essere un trattato sulle donne, non intende tirare somme o far consuntivi, proporre interpretazioni psicologiche, addentrarsi nei labirinti dell'universo femminile.

Ho semplicemente voluto trasferire dalla memoria alla pagina un fatto, un incontro, una storia, l'impressione di una lettura. Cercarvi altri intenti sarebbe vano esercizio.

Gli incontri personali sono così lontani nel tempo che credo possa valere per essi la prescrizione.

Comunque non potrei giurare che siano realmente accaduti, può darsi che me li sia inventati o sognati e poi, col trascorrere del tempo, li abbia creduti veri.

Sinceramente non avrei mai pensato di pubblicare un libro così intimo sulla figura della donna, ma altrettanto sinceramente non avrei mai pensato che in Italia nel 2013 fossimo costretti a varare una legge contro il "femminicidio".

c.

Indice

Questo libro è stampato su carta certificata FSC,
che unisce fibre riciclate post-consumo a fibre vergini
provenienti da buona gestione forestale e da fonti controllate.

Finito di stampare nel mese di agosto 2016 presso
Elgraf S.p.A. - stabilimento di Cles (TN)
Printed in Italy

Rizzoli
L I B R I

ISBN 978-88-17-08219-8